文春文庫

「英語できます」

松原惇子

文藝春秋

目次

単行本　一九八九年十二月文藝春秋刊

「英語できます」

第一章　アークヒルズの朝

秘書募集――年俸四百万～五百万円。資格、短大、大卒同等の能力を有し、日常会話、英文書類作成能力のある方、及び英文タイプ（40W以上）操作のできる方。コンピューター興味あれば尚可。三十歳位迄。勤務地、南青山。応募、履歴書（写真貼付）郵送下さい。5／15日必着。

デルコンピューター・コーポレーション

（とらばーゆ89年5月15日号外資系企業特集より）

秘書募集――英会話堪能な方、英文タイプ、ワープロ操作できる方。三十歳位迄。少なくとも二年間の経験ある方。英語と日本語の履歴書を郵送のこと。当方はアメリカ一部上場の保険会社である。

シェアソン・リーマン・ハットンアジア株式会社　アークヒルズ36F
（ジャパンタイムズ89年4月10日号求人欄より）

東京、六本木にあるアークヒルズビルは、日本のウォール街といわれている。一九八六年、日本の経済景気を象徴するかのように建設されたこのビルの中には、現在約二十社の外資系企業が軒をつらねている。そのうちの大半が金融関係の企業である。ガラスとスチールを組み合わせた超モダンな三十七階建のオフィスビル。となりに全日空ホテル、階下にサントリーホールを見ることができる。

外資系企業が軒をつらねているだけあって丸の内のオフィスビルなど問題にならないほど洗練されている。

私は今まで何度もビルの前は通ったことがあったが、中に入るのははじめてである。回転ドアを押した。

ふきぬけのロビーに巨大な樹木が植えられている。通りからガラス越しにこの樹木を見ていると、ビルの中のオアシスのようで美しく見えるが、中から見あげてみると、なんだかプラスチックのように感じる。

シャープでメタリックな空間は、マンハッタンのオフィスビルを彷彿《ほうふつ》とさせる。

私はゆっくりと中に進んだ。

エレベーターの壁にはウェストウイング、イーストウイングの英語の表示が、案内板にはＡＢＣ順に横文字の企業名がズラリと並んでいる。

バンク・オブ・アメリカ
シティコープ
ゴールドマン・サックス証券会社
ホア・ゴベット証券会社
イベリア航空
………
………

そうそうたる外国企業ばかりである。この空間にいる限りは、とても日本にいるとは思えない。アークヒルズに一歩ふみこめば、そこは、外国なのである。そして、ここには文字通り英語のできる女性たちが大勢いるのだ。

私は、ひんやりとしたロビーの低いソファに腰かけ、朝の通勤風景をながめていた。最近、外資系企業（以下、文中では外資という）で働きたいという女性たちが急増している。特にアークヒルズは彼女たちの憧れの勤務地。私は彼女たちの気持ちがわかるような気がした。こんなステキなビルに通ってくるだけで、いい気分だ。

しかし、外資で働く女性たちというのは、どういうタイプの人たちなのだろうか。英語ができる女性って、どことなく気取っているところがあるが、そういう人たちの集団なのだろうか。日本人なんか、と、どこか見くだしたような……。

私はあれこれ想像しながら、ビルの中に入ってくる人たちを見ていた。五分たった。

それなのに、正面入口から入ってくるオフィスレディたちは数えるほどしかいない。

私は時計を見た。朝の八時半である。八時半といえばどこの企業でも出社タイムであるはずだ。

おかしいなあ。

外資系の出社タイムは日本企業とちがい十時出社なのだろうか。私が出社時間を確かめないできた自分のあさはかさを責めていると、正面玄関ではなく、ビルの東側にある臨時の出入口から、人がドッと流れこんできた。オフィスレディにサラリーマン。このビルの中の外資系企業で働く人たちである。ド、ド、ド、と一気に入ってきた。正面玄関から入ってこないわけである。ほとんどの人たちが、四ツ谷駅からでているアークヒルズ行きのバスで通勤しているのだ。

アークヒルズは六本木という超一級の土地にあるが、交通の便は悪い。地下鉄の六本木駅からは歩いて十分はかかるし、霞ケ関からも十分はかかる。

ほとんどの人たちが、バスを利用しているのである。

タッタッタ。外資系で働く人たちだけあって、みなさん、歩く姿勢もピシッと決まっている。仕事にプライドをもっているということが歩き方にでている。

キャリアウーマンという言葉がふさわしい女性たちばかりである。

ベージュ色のジャケットに紺のタイトスカート。白いノーカラーのブラウス。髪は肩にとどくかとどかないかの長さ。化粧はしているが決してぬりすぎではない。アクセサリーはひかえめ。肩から大きめのショルダーバッグ。くつはプレーンなデザインの中ヒール。

女性はほとんどが二十代後半から三十代。丸の内でみられるストレートヘアにワンピース、肩からシャネルのバッグをさげて、という格好の女性は、ここアークヒルズには一人もみることができない。

もちろん、パンツスタイル、ニットの洋服を着ている女性もいない。リクルートファッションではないが、アメリカのキャリアウーマン、働く女性のファッションである。

やっぱり外資はちがう。ビルだけでなく、働く人たちもアメリカのキャリアウーマンそっくりである。まちがっても経理のおばさんタイプの女性はいない。

バスからはきだされた人たちは、イーストウイング、ウェストウイングと書かれたビルのエレベーターの前に並んだかと思うと、次々と上の階へ消えていった。

男女の比率は半々ぐらいだ。男性も三十代ぐらいの人が多く、いわゆる管理職タイプのおじさんの姿は見うけられない。年功序列ではなく実力で仕事をしている人が多いからだろう。ダサイ男性はぜんぜんいない。

外人の男性がバスのつく入口ではなく、反対側の入口から入ってきて、エレベーターの前に立った。金髪で背が高い。三十代前半ぐらい。手にランチ（おそらくサンドイッチ）が入った紙ぶくろをもっている。どちらかの証券会社のボスなのだろう。日本の女性たちはこういう外人と一緒に働いているのか。ボスといっても若いなあ。独身かしら。しばらくするとバスの一行と共に、スーツケースをゴロゴロひきながら二人の外人が入ってきた。

紺の上着にグレーの替ズボン。英国の出張から帰ってきたところといった感じだ。キャリアウーマンルックの中に珍しくペパーミントグリーンのスーツを着た女性が一人入ってきた。四十代後半と思われるが、さっそうとしている。おそらく、外資系企業の中でもかなり高いポジションにいる人なのだろう。

ド、ドッ、またバスが着いたようだ。新聞を五紙ほどかかえた女性が入ってきた。外人付の秘書らしい。しかし、彼女たちは、どれぐらい英語ができるのだろうか。英語を使う仕事に満足しているのだろうか。でもこんなステキなオフィスで働いていたら、日本のなんとなくゴチャゴチャした、しかもシーラカンスのようなおじさんたちがいる日本企業になんか勤めたくないだろうなあ。

私は、エレベーターの中に吸いこまれていく人たちをみながらそう思っていたが、次の瞬間、あることに気がついた。それは外人の姿が大変少ないということだ。三十分間ロビーにすわっていたが、外人の数は数えるほどだった。

外資といえどもここは日本。外人のボスの数は少ないのかもしれない。それとも彼らの出勤タイムは遅いのだろうか。

現在、日本にオフィスをかまえている外資系企業は約三千五百社。大蔵省国際金融局の調べによると、昭和六十二年度、新規に設立及び投資を行った外資系企業だけでも六百三十社。この数字は五年前の一・七倍にあたる。

外資と一口にいっても規模はまちまちである。社員二万人のIBMから外人ボスと日本人女性秘書二人だけの会社まである。しかし組織の規模のちがいはともかく外資の急速な日本進出と共に、その労働力となって働いているのは、英語のできる日本人女性たちなのである。

＊

坂口美香子さん（二十八歳）も外資系企業で働く一人である。彼女はアークヒルズの中にある証券会社で秘書として働いている。会社に入って今年で三年目。

スラッとしたきれいな女性だ。私は彼女がてっきりアークヒルズに憧れて、今の会社に就職したのかと思っていたら、話を聞くとそうではなかった。

「前のオフィスが狭くなって、アークに引越してきたんです。三年前までは、東京支社の社員がたった三十名だったのに、今は三百名」

円高、株の好景気による証券会社の急成長ぶりがうかがえる。

坂口さんが外資系企業で働くようになったのは、英語を使った仕事がしたいと思ったからである。

彼女は自分と英語のかかわりについて、こう話してくれた。

「実をいうと大学の時の専攻は英語じゃなくて、史学だったんです。だから特に英語でなにかやりたいって思っていたわけじゃないんです。大学時代から英会話スクールには通ってましたけど……でもそれは、時代の流れでとりあえず英会話でもやっておこうかって程度で……」

卒業後、日本の企業に就職した。しかし、仕事は単調でおもしろくない。それに将来、企業人間としてやっていく気もなかった。だからといって結婚する気もしなかった。何か、自分の人生に変化をつけたい。そこで考えついたのがアメリカ留学だった。

最近、ＯＬ留学をする人が急増しているが、彼女は、そのはしりであったわけだ。

彼女は悪びれず話す。

「こんなことというのは恥かしいんですが、別に目的があったわけじゃないんですよ」

ニューヨークの語学スクールに籍をおいた。

「最初は英語があまりできないから語学スクールに入ったんですけど、いつまでも語学スクールにいても仕方がないでしょ。英語だけやっていてもつまらないし、それで一年間、語学スクールに行ったあとで、大学に正規入学しようと思って、一応入学したんです」

「それで卒業したのですか」

私が聞くと彼女は首を横にふった。

「今さら言っても遅いんですけど、数ヶ月でやめてしまったんです。経済的に続かなくて。なんか、自分自身でも確乎たるものがみえなかったんです。今考えると、くやしいけど。あの時、無理してでも大学をでていればよかったと思うわ。ただその時、はっきりしていたことは、日本に帰って働きたいっていうこと。で、その時、日本に帰って私ができることっていったら何かしらって考えたんです。そしたら英語を生かすことかなって。秘書をやってみようかと」

ＯＬ留学から帰ってきた女性、誰でもがそうするように、彼女もジャパンタイムズで仕事を探した。彼女は「とらばーゆ」にも目を通したが、ジャパンタイムズの方が、外資系秘書の求人ははるかに多いということがわかった。

「月曜日のジャパンタイムズ、見たことあります？　月曜日は特に沢山の求人がのっているんですよ」

外資系企業に就職したい女性にとって、月曜日のジャパンタイムズは必須。

彼女にいわれ、私はさっそく、月曜日のジャパンタイムズを買った。そして紙面をひろげてみて、私は驚いた。たった二十ページから成るジャパンタイムズ、そのうち、なんと五ページ半が求人欄である。それも上段だけちょっとというのではなく、紙面びっしりの求人広告。

じっくり内容をみてみると、ＦＥＭＡＬＥ（女性）募集のコーナーが二ページ分。男女募集のコーナーが三ページ半。不思議なことに、日本の新聞の求人欄のように、男性のみという求人コーナーはない。女性のみまたは男女。このことから外資系企業では、能力があれば性別は関係ないことがはっきりとうかがえる。

ジャパンタイムズの求人欄をみた限りでは、英語ができる女性にとって、外資系は救世主のように思える。

ＦＥＭＡＬＥのところをみてみると、やはり、圧倒的に多いのが秘書の仕事である。ジャパンタイムズ四月十日付のＦＥＭＡＬＥの求人欄を分析してみると次の通りだ。

求人件数八十六社。そのうちセクレタリーを募集している会社が四十一社。事務またはスタッフ募集が十九社。アシスタント五社。リザベーション係三社、タイピスト三社、レセプショニスト三社、プログラマー三社、ティーチング（教える仕事）二社、その他七社、うちバニーガール一件、ホステス一件。

秘書募集に関してのみ、どの程度の英語能力を希望しているかみてみよう。四十一社中、フルーエント・バイリンガル、つまりペラペラを要求している会社は十社。半数にあたる二十二社は、かなり英語能力のある方。つまり、読み書きしゃべりが仕事をする上で支障ない程度できる人を望んでいる。英語が少しできる人と謳っている会社はわずか二件。他の七社は英語に関しては特に能力を明記していない。きっと、外資系をうけるのに英語ができるのは当り前だからだろう。

なお年齢制限についてみてみると、外資らしく四十一社中、十六社は年齢について記載なし。三十歳ぐらいまでと明記してある会社が十五社。二十五歳までが三社、二十八歳までが二社。三十五歳までが三社、四十歳までが二社となっている。

この数字から外資なら三十歳までは、転職可能だということがはっきりとわかる。経験、能力、実力があれば年齢は問わないということも感じられる。

英語ができる。そして、何よりも日本企業のように転職者をこばまない。

ＯＬ留学から帰ってきた女性にとって、ジャパンタイムズにのっている外資系企業は、まさに救世主である。

坂口さんが最初に就職した外資は、米国の広告代理店だった。親会社が本国でいくら大きくても彼女が働いていた日本のオフィスはこぢんまりしたものだった。

外人のボスと秘書の坂口さん、それに日本人女性二人だけ。しかし再就職のスタートとして小さなオフィスを選んだことは正解だった。英語で仕事をするということになじむためにも、外人と働くことになれるためにも、それは彼女にとって必要な期間だった。

「ジャパンタイムズの求人広告だけでは、その会社がどの程度の規模なのか知るのはむずかしいんですよ。会社名が書いてない場合もあるし、書いてあっても、英語の名前だと、どんな会社なのか想像がつかないでしょ」

彼女のいう通りだ。

三井物産、鈴木商店という日本語の会社名なら会社の規模の想像もつくが、マーシャルコーポレーション、ＰＣＪカンパニーといわれても、どっちの会社が大きいのか想像のしようがない。

私はジャパンタイムズを改めてみた。彼女のいう通り企業名の書いていない会社が八十六社中五十二社もあった。外国式求人法といったらよいのか、それとも、外資に応募する人は、会社のネームバリューで選ぶのではなく、職種で選ぶから企業名は問題ではないのか。とにかく、「とらばーゆ」にのっている日本企業の求人広告とはまったく異なる。

坂口さんは、広告代理店の秘書の仕事を二年でやめ、現在の職場である米国一流の証券会社に転職した。

「前の会社をやめたのは給料が安かったからなの。外資に就職する時は、最初の交渉が大事ですよ。入る時、いくらで契約するか。それがベースになるので」

現在の仕事もジャパンタイムズで見つけた。

「ものすごい数の履歴書を書いて面接にいったんですよ。二十社をくだらないわね」

私はふと思った。

彼女は英語が相当できるのだろうか。外資の面接はもちろん英語であるはずだ。

「外資の秘書をするのに、どの程度の英語力が必要なんですか」

私の質問に彼女は、とても困った顔をした。

「英会話がある程度できて、タイプが打てて……」

「ある程度って、どのくらい。日常会話ができる程度っていうことですか」

私がそう聞くと、彼女はあいまいにうなずいた。日常英会話ができる、といっても、ランクづけするのはむずかしい。私はできると思っていても、違う人からみたら、大したことないかもしれないし。英語力の評価というのは、実にあいまいだ。彼女の場合、帰国子女のようにしゃべれないが、自分の意志を英語で表現することはできる、ということらしい。

私は彼女に再び聞いた。外資に就職する際、どんな面接が行われるのか。全部英語なのか、それとも日本語と英語のチャンポンなのか。

彼女は笑った。そして言った。外資といってもいろいろな会社がある。だから面接の仕方も会社によっていろいろであるということだ。

例えば、外資でもボスが日本人の場合がある。その時は日本語が主になる。御家族は、御結婚は？　と日本の一流商事会社と同じ質問をされることもあるという。

ボスが外人の場合。面接にあたるのはボスと、人事担当者、それに社員。その中で外人のボスが英語で質問する。

質問内容も、その外人によってさまざまだが、こういう聞き方をされることもあるという。

「君のことについて、話してくれる？」

その一言。応募者は、会社を受けた動機、自分の性格など相手の興味をひきながら一人でしゃべることになる。もちろん全部英語。

ふつう、面接の他にテストを受けさせられる。英文タイプと簡単な翻訳をやらされ事務能力をためされる。

英文タイプの場合、秘書として要求されるスキルは一分間に最低、40W。英文速記は80W。

これらの試験に合格し、坂口さんは秘書として採用されたわけである。

「秘書の仕事は、ボスと相性があわないと悲劇ですよ。ボスに気にいられなければ即刻クビですから」

ボスといっても三十代の自分よりちょっと年上の男性である。いくらタイプが速く打てて、英語の応対が上手でも、ボスに気にいられなければいけない。スキルもさることながらボスに気にいられることが秘書として重要なのだ。彼女は説明した。

「私は今、一対一の秘書はやってないんですよ。一人のボスに一人の秘書がつくのではなく、何人かの秘書が何人かのボスのアシスタントをするようなシステムになっているんです。だから、私はボスの机ふいたり、コーヒー入れてあげたりすることはないんですけど、最初の頃は一対一だったので大変でしたよ」

彼女は美しい髪をかきあげながら笑った。

「大変って？」

私が具体的に質問すると彼女は答えた。

「タイプや電話のとりつぎで忙しいのはいいんですけど、仕事の大半が奥様の世話だったんです。まるでメイドみたい。日本をほとんど植民地と思っているみたいで。奥様が妊娠したといえば、病院の連絡係させられるし、自宅の電気のかさがこわれたといえば呼びだされるし。肝心の仕事なんかできないんですよ。本当、ひどい目にあったわ。でも、その時は私も新米だったから、こういうことで英語がうまくなればいいやって、自分に言いきかせたりして……」

彼女は今や、中堅秘書。もう外人のボスにペコペコしたりはしない。コーヒーですら、フェイバー（好意）で入れてあげはするが、命令されて入れること、ゴマすりのため入れることはない。

私は彼女の話を聞きながら思った。彼女がボスの機嫌をとることをしなくなったのは、単に一対一の秘書をおりたからということではなく、英語力がついたせいではないだろうかと。

私もアメリカに三年ほど住んだ経験があるのでわかるが、言葉に自信がないと、必要以上に外人に親切にしてしまうものだ。

外資系企業の中でも同じことがいえるのではないだろうか。英語力に自信がつけば、外人に対してもはっきりと自分を主張することができる。つまり、やたらとコビる必要はなくなるということではないだろうか。

ところで日本人同士の英語力の差についてはどうなのだろうか。

「うちの会社にも帰国子女の女性は沢山いますよ。私は彼女たちのようにはしゃべれないけど、言ってることはわかりますよ。でも、ネイティブみたいにペラペラやられると、私たちの方が頭がよくても、むこうの方が賢そうにみえるんですよね。内容なんか大したことといってないのに。つまんないファッションの話なんかしてるくせに発音がネイティブだというだけで、あっちの方ができるみたいにね」

彼女のように努力して英語にみがきをかけてきた人にとって、帰国子女の存在はたまらなく目ざわりなのだ。彼女の気持ちとてもよくわかるような気がする。

「私たちが入る頃は、英語ができることが絶対条件だったんです。入って即戦力になる、というのが外資ですから。だから、スタッフ全員が中途採用者ですよ。でも今は変りましたね。外資でも新卒をとるようになったんですもの」

彼女は首をかしげる。

「外資って、どちらかというと個性的な人ばかりの集団だったんです。それが、このごろ東大、一橋なんていうのが入ってくるんですよ。中には英語のできない人も入ってくるんです」

経理の仕事ですら東大卒のCPA（公認会計士の資格）をもった男性が入ってきてやっているという。彼らの目的は、外資に入り、英語を身につけ、将来、日本でもアメリカでも仕事ができるようになりたいからのようだ。

三十名のオフィスからスタートした坂口さんにとって、ここ数年の会社の変化に、複雑な思いである。

小さなオフィスでみんなで力をあわせて仕事をしている時は感じなかったが、社員が増え組織化してくると、いろいろ考えさせられることも増えた。

英語を生かせる仕事がしたい。英語が上手になりたい。それが外資系企業に入る動機だった。しかし、長年働いてなれてくると、それだけでは満足できなくなった自分に気がつきはじめた。

外資系企業は日本企業とちがい、職種ではっきりと二つに分れている。プロフェッショナル部門とサポート部門。新卒で入ってくる人たちはプロフェッショナル部門で採用となる。

セールスマン、トレーダー、アナリスト、彼らは専門分野のプロとして仕事をする。それに対しサポート部門は、彼らをサポートする仕事のみをするところである。秘書、クラークタイピスト、レセプショニスト。つまり女性の仕事である。

プロで入社するか、サポートで入社するかによって将来性も給料もちがう。秘書はどんなに優秀でも秘書、アシスタントとしか見られないのである。

現在、彼女の働く会社には二百名のプロと百名のサポートスタッフがいる。百名のサポートスタッフは全員、日本の女性である。そして、そのほとんどが中途採用の女性たちである。そして、彼女たちのほとんどがＯＬ留学経験者なのである。

つまり、言い方をかえれば、外資系企業のアシスタントはＯＬ留学した女性たちに支えられているといっても過言ではない。

彼女はつくづくというように話しだした。

「留学したことに後悔はありません。英語ができたから今の仕事にもありつけたのですし。でも、どうせなら大学に入りなおして、ディグリー（学歴）とっておけばよかったと思うの。経営か経済のね……」

彼女の話によると、サポートはいつまでもサポートだという。ディグリーがないとプロに転向できない。いくら優秀な秘書であり実力があっても、ディグリーをもってなければ転向できないということだ。

「私だって、あのくらいできるのに」

プロの仕事をみるにつけ、そう思ってしまう。

「ちょっと気がつくのが遅すぎたわ。あの時、留学した時、ビジネスやっておけばよかったと今になってそう思うの」

能力に大差ないのにプロというだけで給料に差がある。プロの中では一千万、二千万とっている女性もいる。彼女の給料も、サポートの中ではいい方だ。金額についてははっきりとおしえてもらえなかった。年収の金額はその人の能力のバロメーターになるからだ。察するところ、年収六百万円ぐらいであると思われる。日本企業のOLから比べれば悪くない金額だが、ディグリーさえあれば一挙に倍はもらえる職場にいると、歯ぎしりしたくなるのである。

彼女は言った。

「外人と働くのは楽ですよ。ビジネスライクですもの。日本人のように行間を読まなくていいから。でも、このごろ日本人の男性としゃべっているとホッとすること多いんですよ。私も外人の社会に疲れてきたのかもしれないですね」

彼女は笑った。

「今の会社に入って、三年目です。三年ってひとつのふし目なのかもしれないですね。外資で働くって、短期間ならいいけど、長くやるのはシンドイですよ。外資って、ある日突然にポリティカルな異動があったりするんですよ。重要人物がゴソッと変ったり。そうすると会社の雰囲気まで変るんです」

初期のころは、そんな変化も楽しんでいたが、長くいるにつれて疲れてきた。

彼女は言葉を続けた。

「日本の会社なら、給料があがらなくても、何となく定年までいられるでしょ。でも外資はなんとなくいられない所なんですよ。常に自分が何をやっているか、どれだけ力があるかみせていなければならない。目立つ必要があるんです。私はこれだけやっているのよ。パフォーマンスも大事なんですよ」

日頃から、自分の存在をアピールしていないと、マーケットが景気のいい時はいいが、冷えこむと、首を簡単にきられてしまうからだ。

外資は、とりあえず英語ができれば職はある。しかし長期間勤めるには、様々な問題があるようだ。

それに反し、日本企業は長くいようと思えばいられるが、いったん職場を去ったものに対しては、二度と雇用の機会を与えようとしない。

留学にせよ、何にせよ、何らかの理由で辞めたものにとって、再就職の道はかたくとざされている。

とりあえず英語ができる女性にとって、外資は職場を提供してくれる貴重な存在であることは確かだ。

私は彼女に聞いた。

「日本の会社で働く気は？」

すると彼女はピシャリと言った。

「三十すぎの女を雇ってくれる会社、あると思います？」

*

「私、来週で会社やめるんです」

さわやかな笑顔で現われた武藤エミさん。会社近くの青山のカフェで会った。

彼女は三十歳。米国系会計監査の企業の秘書として働いている。

体のシルエットがきれいにでるシルクのブラウスに、品のよいジャケットをはおり、本当のキャリアウーマンらしいファッションで現われた。

彼女はとてもうれしそうだ。転職先の条件はよほどいいのだろう。

武藤さんは、短大英文科の出身。留学経験はない。

「英文科にいったということは、英語は好きだったんですか」

私がたずねると彼女は笑った。

「国文科にいきたくなかったから英文科にしただけなんです。でも英語をやりたいなあと思うようになったのは、アメリカのホームドラマのせいじゃないかと思うの。ああ、いいなあ、おうちがすてきだなあーってね。一般的なあこがれです」

短大卒業後、製薬会社に就職。しかし仕事は単調、給料はよくない。給料を沢山とるには、何か技術を身につけるべきだ。

そこで彼女は昼は会社に勤めながら、夜は秘書養成学校に通った。その時の月給は九万円。秘書学校の月謝は三万円。彼女にとって、かなりの負担だった。しかし、スキルを収入につなげたいという彼女の気持ちは変らなかった。

九ヶ月のコースが終ると、彼女は会社を辞めた。

「その時は、はっきりいって不安でした。雇ってくれる会社があるのかしら。ジャパンタイムズの求人欄の秘書募集に片っぱしから応募しました。少なくとも、十社は面接にいきましたよ」

武藤さんも、坂口さんと同じ方法で就職活動をしたわけである。

彼女が秘書養成学校をでて、最初に就職した会社は、外資系経営コンサルタントの会社だった。彼女はコンサルタントの秘書として雇われたわけである。ボスは外人ではなく、ハーバード大学出身の日本人だった。当時の彼女の英語力、経歴では最初から外人の秘書は無理だったのかもしれない。

彼女は当時をふりかえって、こう語った。

「私は自分では英語はできると思っていたんです。でも会社の中は、ハーバード出身の人だらけ。そんな中で、短大卒で英語できますっていう自分がとてもみじめだったわ。卑屈になりました。これは私の考えすぎかもしれないけど、英語に対しかなりコンプレックスあったんですよね」

彼女はその時、学歴について考えさせられた。短大と四年制大学、中味は大して変らないのに、外資に入るとはっきりと区別される。ああ、留学しておけばよかった。彼女自身も短大を卒業した時に留学したかった。しかし、その時、家の事業が景気悪く断念せざるをえなかったのである。

ハーバードの人たちに囲まれ、会議の資料作りなどせっせとこなした。忙しかったが刺激のある仕事だった。

三年目に彼女のボスが退職することになった。

「ボスと秘書はワンセットなんですよ。会社側はその時、私にいてもいいよといってくれたんですけど、少し休みたかったのでやめました」

私はすかさず聞いた。

「その時、日本の会社に入って、英語を生かした職業につきたいとは思わなかったのですか」

すると彼女は首をふった。

「日本の企業なんかダメに決まっているでしょ。新卒しかとらないもの。英文タイプなんか打てなくて結構です、の世界でしょ。日本企業の中ではスキルを発揮する場がないし能力をかってくれるところなんかないですよ」

彼女は笑った。

「それに、日本の企業のおじさんたちって、私みたいな女性嫌いでしょ。こっちも嫌いだけど……」

彼女は外資系企業で働くことが自分に合っているという。つまり能力、実力をお金で示してくれるからだ。ちなみに彼女の年収は、初めて外資に入った時の倍である。金額は教えてくれなかったが、現在、三十歳で七百万円ぐらいと思われる。

現在勤めている会社も、ジャパンタイムズで探して入った。アメリカでもこの業界のビッグ8に入る会社で、日本の社員だけで約八百名いる。

こちらの会社も他の外資と同じように、プロとサポートに分れている。

彼女はアメリカ人ボスの秘書として採用された。

「外資って、変ってる人が多いですよ。でもあまり人のことは気になりません。みんなドライだから。それに人の出入りが激しくて、いちいち気にしていられないんです。スタッフは日本人が多いけど、制度はアメリカだから、わからないことがあったからといって上司に相談すればいいというわけにいかないですよ。個人で解決しなければならないことがとても多いんです」

彼女はドライな外資系の職場の雰囲気が好きだ。しかし、そんな彼女でさえつくづく外資だなと思うことがある。

それは、ビジネスで特に重要でもない人に会う時でも、わざわざホテルを予約するからである。

「パフォーマンス」

と彼女はおかしそうに笑う。そんな時予約するのは秘書の彼女の仕事だ。

「ランチョンミーティングがあるので、リザーブして下さい」

ボスのひと声で彼女はホテルに電話する。

彼女は笑う。ホテルの人も、カタカナの会社名を言うと、態度がコロッとかわるというのだ。

「日本人が外人を差別しているんですね」

だから外人がますます優越感を感じてしまうのかもしれない。こちらの態度もいけないのである。

「こちら○○カンパニーです。ミスター・ブランソンで……」

最初はホテルに予約するのがおもしろかったが、もうそんなことを楽しんでいる時期もすぎたと彼女は話す。

「秘書の仕事も、七、八年やっていると、もうわかってしまうのね。先がみえるっていうか。だってこのままやっていてもずっと秘書でしょ。年とればとるほど自分より若いボスにつかなくちゃならないし……こんな上司なら私の方ができるわ。ついそういう気持ちになってしまうの。そうなると終りなんですよ」

彼女は笑った。

最近、秘書仲間が二人よると、「ねえ、二人で何かやろうか」と儲け話になるという。秘書の仕事ははっきりいっておもしろくない。チャレンジがないからだ。私がいなくても誰かがやればいい。所詮、秘書という仕事はそういう仕事なのである。

しかし、日本の企業ならたとえ、うまく中途採用で秘書として入っても年俸五百万円以上もらうのはむりだ。五年で収入が倍になることはまちがってもない。

秘書の場合、給料はボスの査定で決まる。

「今回は〇〇パーセントアップしますが、それでいいですか」

よくなければ文句をいう、よければそれで決まる。秘書の場合、ボスに気にいられるかどうかによって、大きく収入がちがってくるわけだ。

「私ね、今まで外資だからここまでやってこられたんだと思うんです。やることやっているのに文句あるか。いつもその精神できました。英語は自分を支えてくれる大事なものです。英語ができる、それが私の核になっているんですね。きっと」

彼女は言う。いつも自分の中には、何かあったら秘書をやればいい、というひらきなおりがあるという。秘書をやっていれば、最低、食べていくことはできる。それは何よりも彼女の心の支えになっているのである。彼女がいつも強気でいられるのは、英語ができるからである。

「英会話と速記、英文タイプができれば、女ひとり、食べるのに困らないですよ。だから、ある日突然、会社がなくなっても、やめさせられても私は平気」

その秘書という仕事から彼女は今、脱皮したいと思っている。彼女はその機会を長い間狙っていた。ここ半年ぐらいは、秘書としての仕事をしながら、せっせと履歴書をかいては、他の会社に面接にいっていたのである。

そのかいがあり、彼女の秘書歴五年を高く評価してくれる会社にであった。今度の会社は、スタッフこそ十人あまりと小さいが、秘書の仕事だけでなくお金の管理もさせてもらえる投資顧問の会社である。

彼女が明るくさわやかな顔をしているわけである。彼女にとって今回の転職はキャリアアップにつながるのであるから。

彼女の目は輝いた。チャレンジングである。

「あと五年、ひたすらがんばって情報をあつめようと思うんです。それで、もう一度、学校に入りなおしたい」

「学校？」

私は一瞬耳をうたぐった。ここまで秘書として立派にやってきて、また学校へ。

「留学ですか？」

私がたずねると彼女は大きくうなずいた。これだけの仕事の経験があったら、今さらOL留学する必要もないと思うが。私は心の中でつぶやいた。

彼女はいった。

「ディグリーをとりたいんです。経営か経済の。ディグリーがないとプロの仕事はさせてもらえない。外資の世界ってそういう世界なんです。で、そういう世界ならそうすればいいと思う。それが私の考えです。今、私はいくら仕事ができても、短大卒の何のディグリーもない女なんです。短大卒ということだけで、とっても差別されているって感じます。どうしてもディグリーがほしいんです」

彼女はひと息つくと言った。

「もし、留学して経済のディグリーをとって帰ってきて、また秘書しかできないのであったら秘書でも後悔しない。でも今の状態でずっと秘書をしていたら、絶対に後悔すると思うんです」

いくら外資系企業でも英語という語学力だけを売り物に仕事をするには限界があるということを彼女は語っている。

英会話や英文タイプを打つことは確かにスキルといえばスキルだが、あくまでも下請けの仕事でしかないのだ。キャリアにはならないのだ。

ビジネスの世界で仕事をするということは、ビジネスができるか、つまりビジネスの能力が問われるのであって、英文タイプが何ワード打てる、英語がしゃべれる、というレベルの話ではない。

英語がつかえてうれしいわ。なんだか、自分は人より一歩上の特別なことをやっている。それで満足できるのは最初の一年。もっといい仕事を、もっといい給料を、と思えば、英語プラス専門がなければならないということになる。

当然といえば当然のことだが、英語というのは、単に伝達道具でしかないわけである。いくら英語がパーフェクトでも、専門がなければ、ただの便利屋さんである。それに気づき、やる気のある女性たちは、今、秘書からの脱皮をはかろうとしているのである。

「プロの仕事につきたい」

武藤さんの意志は固い。彼女は私に五年計画を話すと、またもとの笑顔にもどった。短大卒の肩書きを、彼女はこれからアメリカ一流大学経済学部卒の肩書きにかえようとしているのである。

今度会う時、彼女は外資系の証券会社でプロとして働いていることだろう。

＊

英語ができる、ということを武器に外資系企業に就職をめざす女性はここ数年、急増している。

しかし英語ができますといっても、彼女たちの英語力の程度はまちまちである。どの程度の英語力があったら外資に入れるのだろうか。また、外資はどんな人材を求めているのだろうか。

私は英語ができる女性の受け皿がどのくらい整えられているのか非常に興味をもった。さっそく、米国系会計監査の会社、アーサーアンダーセンにお邪魔し、話をうかがった。

アーサーアンダーセンは会計監査の企業では、アメリカでビッグ8の中に入る。いわゆる一流企業である。日本のオフィスでさえ、現在、約八百名のスタッフが働いている。会社は東宮御所に面したオフィスビルの中にある。このビルの中の数階をアーサーアンダーセンが借りているようだ。私はどの階にいったらよいのか一瞬まよった。

レセプションと書かれた四階で降りた。エレベーターのドアが開くなり、驚いた。なんとも重厚な雰囲気。ここはまさにニューヨークのオフィスである。日本の会社の無味乾燥な灰色っぽい空間になれている私は不思議の国のアリスになった気分がした。チーク材の重厚な扉。金色で会社の名前が表示されて、まるでカルチエの本店にでも足をふみいれたようである。

会社の文字の美しいフットマット。中に入ると、トーンをおとした照明の中にオリエンタル調の絵画とグレーのソファがあり、チーク材のカウンター越しに二人のレセプショニストの女性が、英語で電話のとりつぎをしている。

いい雰囲気。なんか、自分まで高級になったような感じがするから不思議だ。こんなにステキなオフィスだったら、女性たちが働きたいわけである。

外資、外資と女性たちがさわぐのもわかるような気がしてきた。単に英語をつかえるからというだけでない、女心をくすぐる何かがある。

「アーサー……」

外線電話のとりつぎをしている女性がどの程度の英語力なのか耳をそばだてて聞いていたが、よく聞いていると会社名以外は日本語。英語をしゃべっていても、とりつぎなので、「少々お待ち下さい」「いつもお世話になっています」程度の英語である。

レセプショニストの仕事は、受付なのだから、考えてみたらそんなに語学力を要求されないわけだ。私は留学したにもかかわらず英語がまったくダメなので、つい、外資で働いていると聞くと、ペラペラと思ってしまうところがある。

受付で待っていると二十代の秘書の女性が、オフィスの中の部屋に案内してくれた。

オフィスの中は、壁側にエグゼクティブの個室が並び、中央は一人ずつ仕切りで区切られている。

日本の会社のようにとなりの人と机がくっついて並んでいるということはない。みんな目かくしの中の個人のスペースで仕事をしている。

机に椅子、ワープロ、電話、書類棚。私はニューヨークのメリルリンチの本社にいったことがあるが、まるで同じ配置である。壁側、窓側にある個室はガラス張りで、個人のネームプレートがでている。

ミーティングルームで待つこと十五分。人事担当の男性が現われた。人事課長というので年配の男性を想像していたら、若い男性なのでびっくりしてしまった。外資系というのは若い人が高いポジションにいて当り前のようだ。

「ここ数年、外資で働きたいという女性が増えているように感じるのですが……」

私が話をきりだすと、彼は言った。

「多いですよ。うちの会社でも一つのポジションの求人に対し、五十人から多い時で百人の応募者がありますよ」

「一つのポジションに百人？」

多いとは思っていたが、これほどまで多いとは思わなかったので、私は心底おどろいた。

この会社では、欠員ができた時に求人広告をだす。平均すると年間八回ほど求人しているということだ。

求人広告はジャパンタイムズと「とらばーゆ」に載せている。同じ求人広告を載せた場合、ジャパンタイムズをみて応募してくる人が三十から四十人。「とらばーゆ」でくる人が五十人から百人ということである。

「うあ……そんなにくるんですか。選ぶのが大変ですね」

彼はにが笑いをした。

例えば秘書募集の場合、どんな女性たちがくるのだろうか。彼の説明によると、ＯＬ留学の女性がほとんどであるということだ。

「セクレタリーの場合、そういう人がほとんどですね。むこうのカレッジに二年いたとか」

ということは、英語力、英会話の方はかなりできるということだろうか。彼は言った。

「確かに、昔よりは質があがっていますね。英語のできる人が多いですよ。しかし、英語ができても仕事ができなくてはダメですからね」

もっともなことである。

外資の場合、日本企業とちがい即戦力を必要としている。英語がペラペラでも、秘書の経験のない人はこまる。中途採用者をとるのも経験者が必要だからだ。

「女性で応募してくる人には二パターンありますね。とりあえず英語だけができる人と、英語もビジネスもできる人。とりあえず英語だけができる人は、給料もあがりませんけどね」

私は大きくうなずいた。英語ができれば、外資系企業に入ることはできるかもしれないが、英語ができるから仕事ができるということはない。極端な話、英会話が初級程度でも、すごく気のきく女性であれば、彼女の方が仕事はできるということになる。仕事をするために会社にくるのであって、英語を使うために会社にきているのではないのだ。

「外資だから英語さえできればいいってことはないですよ。それなら帰国子女を雇えばいいんですから。問題は、その人にビジネスマインドがあるかどうかってことですよ」

つまり、英語だけができて働ける時代は終ったということである。昔は英語のできる人が少なかった。だから英語がちょっとできれば、外資系企業はよろこんで採用した。しかし、今は、外人に道で声をかけられても逃げる若者は少なくなった時代。それだけ、英語ができる人たちが増えてきた。留学もとなりの娘さんまでいく時代である。留学の価値もなくなってきている。そんな時代の中で、英語だけを売り物に仕事をする限界が、そろそろやってきているのではないだろうか。

私は後日、外資系企業に十年勤めている、プロフェッショナルの女性に会った。彼女は三十八歳。自らを、キャリア組と呼んでアシスタントの女性との区別をつけていた。

彼女の会社は製薬会社。彼女は医学関係のディグリーをもっている。私は彼女の英語力を知っているが、決して上手ではない。日常会話が困らない程度、おそらく英語でディスカッションするには、十分に意志を伝えられないと思われる。

彼女が勤める日本のオフィスには約三百名の社員がいる。トップを除いて、ほとんどが日本人。しかし、外資なので書類などはすべて英語である。

自分の仕事には自信をもっているという彼女はこう話をしてくれた。

「外資は一見、華やか、でも実状は残酷物語なんですよ。本気でやろうと思えば残業は毎日。男女の区別がないから、女性は生半可じゃ勤まらないですよ」

彼女は職場を冷静にみている。外資で勤続十年といえばかなり古株である。

「秘書や事務系の仕事をやっている人には、英文科卒業の女性が多いわね。でも、外資にきて秘書やってるようじゃダメですよ。昔はタイプや英会話ができれば、人と少しちがようなところあったけど。外資の秘書といえばあこがれの職業だったけど。でも今はそういう時代じゃないですよ。秘書は単なる雑用係でお手伝いさん。キャリアにはならないんですもの」

彼女は主張する。

キャリア、つまり専門をもっていなければ女性もただの使いすてになりさがってしまうということである。

外資は上層部の人事異動が激しい。彼女の会社でもトップが十年間に五人代ったという。ということは秘書も五人代ったということになる。

「秘書といっても二種類ですよ。ボスの片腕になるような有能な秘書と単なる雑用係の秘書。ふつうの秘書はお茶くみが一番の仕事。外資に就職する時、表向きのかっこよさで入ってくると、すぐやめることになるわね。でもはやく気がつけばいいけど、そのままズルズルいると、どんどん悪い仕事をまわされてしまいますよ。外資では英語ができるのは当り前なんですよ。あまり自分の英語力を過大評価しない方がいいと思いますね」

最近アメリカでは秘書のなり手が不足している。また秘書で応募しても、タイプが打てるのに、わざとタイプは苦手ですというそうだ。昔は秘書といえばタイプが売り物だったのに、なぜかというと、タイプができるといって採用されると、入ってからタイプばかりやらされるからだ。朝から晩までタイプを打たなくてはならないことになりかねないからだ。能ある女性はスキルをかくす。そういう時代のようだ。スキルはかくす。つまりスキルではなくビジネスの能力をかってほしいという意思表示なのである。

彼女は言葉を続けた。

「うちの会社は組合があるので、クビをきられることはないんです。でも、それにみあった嫌がらせはありますよ。昇給千円とか……ふつうプライドがあったらいられないですよね。外資って本当にきびしいところですよ」

外側のかっこよさで入ってきた女性たちでやめるにやめられなく年をとっていった人たちが沢山いるという。

「外資はシーラカンスのオバタリアンがいっぱい。彼女たちは仕事に前向きでないんですよ。ただ会社にきているだけ。そういう人たちにかぎって生理休暇とったり、女しちゃっているわけね。だからますます、みんなからきらわれる。そうならないためにも、これから外資に入ろうとする人は、専門をもつことが大事ね。じゃないと、本当にみじめですよ」

彼女は言葉をつづけた。

「これからは、英語ができるだけの女性は生き残れないですよ。今やワープロだって、できて当り前の時代でしょ。英語はもっとそうなることまちがいなしですよ」

私は外資勤務十年のベテランの彼女がいう言葉をかみしめて聞いていた。英語ができるとなにか得をするように思えるのは、英語ができないものの発想なのかもしれない。

こうした彼女の言葉を裏づけるように、私が取材で会った中の一人の女性はこう言っていた。彼女は外資系銀行の秘書、四十歳。この道十年のベテランである。

「女に専門職がなかったころは外資の秘書はいい仕事だったんです。でも今は、女性でも専門職の人がふえてきたでしょ。そうね、秘書も今まではよかったけど、これから先はないなって気がしますね。転職も四十すぎればむずかしいし……それに私、英語だけで食べていけるほど英語に自信があるわけじゃないし……五十歳の時の自分の姿がみえないですね。でもとりあえず今は人並以上のお給料いただいているので文句はありませんが……」

第二章　ハーバードをめざす女たち

合格発表
Tさん、エール大学、TOEFL六百四十三点。GER千百六十点。

Wさん、MIT、TOEFL五百九十点、GMAT五百五十点。

Sさん、インディアナMBA、TOEFL六百四十三点、GMAT五百八十点。

トフルアカデミー九段校の廊下には、アメリカ一流大学、大学院の合格者の名前がズラリとはりだされている。

ここは、欧米の大学を受験する人たちのための予備校である。

ここ数年、我が国では空前の留学ブームをむかえているが、その中味は、本来の留学が意味する留学ではなく、語学留学と称する遊学である。しかし、語学留学する女性が増えているなかで、真に学問を学ぶための正規留学を試みようとする女性たちも確実に増えている。

トフルアカデミーは、そんな人たちのための留学予備校である。

英語がちょっとできるだけでは、いくら女性だからといって、一生仕事をしていくのには弱すぎる。英語、つまり、日常英会話ができる、英語の簡単な手紙なら書けるという人は、ザラにいる世の中である。英語だけを武器にしていては、キャリアと呼べる仕事にありつくのはむずかしい。

我が国も男女雇用機会均等法などというものができ、表面的にしろ、男女の格差はなくなりつつある。女性も一生、働こうと思えば働ける。そうなると、女性も長期的に職業を考えなくてはならない。

英語が得意だからといって、ポッと外資系の秘書になってもいいが、前章でもふれたように先がみえている。としたら、どうしたらいいのだろうか。英語ができる女たちは、足元をみはじめた。

そこで、多くの人たちが考えついた結論が、欧米への正規留学である。あちらで資格をとって、ビジネス界でプロフェッショナルとして働こうというわけである。

その中でも今、一番注目されているのが、ＭＢＡ（Master of Business Administration）と呼ばれている経営学修士号である。

トフルアカデミーでは、こうした人たちのために、留学受験のためのクラスを用意している。ここでは一九七一年から八八年の間にいわゆるハーバードなどの一流大学に千名ちかい人たちを合格させている。

夜、六時半、三三五五とお勤め帰りのOL、学生が教室に入ってくる。

私はTOEFL（Testing of English as a Foreign Language＝トーフル）のクラスをのぞいてみた。留学するには必ず受けなければならないのがトーフルのテストである。そのクラスでは、四十人ほどの生徒が熱心に先生の説明を聞いている。女性は三割ほどだ。高校から直接大学に留学する人たちも多いようで、男性は若い人たちがほとんど。女性は大学生、OL一年生が目につく。

となりの教室はGMAT（Graduate Management Admission Test）のクラスである。GMATのテストというのは、大学院、特にMBAに入るのに必要なテストである。内容はあとから説明することにして、とにかく難しいテストといわれている。あちらの大学に入学するのは簡単と私たちは思っているが、それは誤解である。一流大学、大学院に入ろうとすれば入学テストでかなり高いスコアをとらなければ入れない。トーフルが英語力だけを見るのに対し、GMATは、数学、読解力など本国の生徒と同じ能力を要求される。

「どうぞ、のぞいて下さい」

と係の女性にいわれ、GMATのクラスのドアをあけた。二十数名の男女の丸い背中が目に入った。必死で模擬試験にとりくんでいる姿が目に入った。

ほとんどが企業のサラリーマン、いわゆる将来、企業派遣で一流大学のMBAコースに留学する人たちだ。その白いワイシャツ群の中に二人の女性がいた。

銀行員だろうか。白いブラウスに紺のジャンパースカート、椅子のわきに、書類の入ったバッグをおいている。仕事が終ってあわててかけつけてきたようだ。

ドアをあけられても、誰一人ふりむかない。シーンとしている。みんな机にかじりついている。

ちなみに前回行われたGMATの模擬試験の参加者は百十一名。最高点をとったのは女性だった。

＊

山形まゆみさん（三十五歳）も、トフルアカデミーに通う一人だ。彼女は、現在、渋谷にあるマンションの中で学習塾を経営している。

自宅兼教室という彼女のマンションは、どことなくニューヨークのヴィレッジを思いださせる。

ペンキを塗った壁。沢山のプラント。熱帯魚の水槽。それに犬も猫もいる。なんとも、のどかで明るい雰囲気だ。

「ニューヨークみたいですね」

私がそういうと彼女は、

「そお、でも私、ニューヨークにはいったことはないのよ」

とケロリとした表情で答えた。

私はなぜ彼女が予備校にまで通って留学しようとしているか聞いてみた。

二十代ならともかく、彼女は、もうすぐ四十である。これから留学するには、よっぽどの覚悟があるはずである。聞くところによると、彼女はMBA留学をめざしているということだ。

MBA、つまり経営学の修士号をとるため、ビジネススクールに入ろうとしているのである。

「MBAをめざしているんですって」

私が半信半疑で聞くと、彼女は大きくうなずいた。

「ええ、ハーバードのMBAをめざしているの。どうせ留学するからには、一流に入りたい。少なくともトップ10の大学院にはいかないとね」

ハーバードといとも簡単に彼女の口からとびだしたのに私はいささか驚いた。東大だって女性が入るのは難しいというのに、世界の最高峰の大学、ハーバードにいきたいと、本気で考えているとは。

私など、学歴コンプレックスがあるので、ハーバード、エール、ケンブリッジと聞いただけでビックリしてしまう。ハーバードをめざすような人は、IQも頭の中のIC回路も生れた時から違っていて、自分とは別世界の人と思ってしまうのだ。

そのハーバードに、しかも大学院に入学しようという彼女は何者なのだ。彼女はそんなに頭がいいのだろうか。そんなに勉強が好きなのだろうか。テストと聞いただけで身震いする私は、彼女の顔をまじまじとながめなおした。

「ハーバードってすごく入るのが難しいんでしょ」

私が尋ねると彼女はあいまいに笑いながら棚から本をとりだし、テーブルの上に置いた。英語で書かれた分厚いテキストだ。

「これがGMATの問題集よ」

あけてみると、方程式や円がでてきた。

「数学のテストもあるんですか」

彼女はうなずいた。数学は自信があるようだ。

GMATのテストは、主に三つのコースに分れている。

クリティカルコース、読解力、論理構成力をみるテスト。

ライティングコース、バーバルアビリティをみるテスト。

マスコース、いわゆる数学。

ページをめくっているだけで頭が痛くなってきた。MBA留学したい、と秘書の女性たちが言っていたが、容易なことではない。このテストに通るだけで大変である。

しかし、英語ができれば、問題としてはそう難しくないのだろうか。私は留学したことがあるが、私の場合GMATのテストは受けなくてよかった。正直いって、だから私程度の語学力で大学院に入学できたのである。大学院といってもピンからきりまである。

私が、よくこんなテストを受けてまでMBAとる気がするわね、と心の中でつぶやいていると彼女は私の心を読んだかのようにこう言った。

「ビジネススクールに入るためには、GMATのテストをうけることが必須なのよ」

実は山形さんは、七、八年ぐらい前からGMATのテストに挑戦している。MBA留学を思いたったのは今にはじまったことではないのだ。しかし彼女が真剣に考えるようになったのは、ここ一年のことである。

彼女は当時をふりかえってこう話してくれた。

「私がはじめてGMATのテストに挑戦した頃は、受験者の中で女性はたった二人だけだったのよ。それが、この間テストを受けにいったら、一割が女性だったわ。みんないいキャリアをほしいのよ」

つまり、女性たちがそれだけ専門を身につけることに目ざめてきたということの現れであろう。

英語だけじゃだめだ。専門がなければ所詮、使われてしまうだけ。それに気づいた女たちは、今まで働いてきた職場を捨て、また大学に大学院にもどって、やりなおそうというのである。

では一体、GMATでどのくらいのスコアをとったら一流の大学院に入れるのだろうか。

ＴＯＥＦＬの満点は六百八十点。ＧＭＡＴの満点は八百点。両方のテストとも五百点の壁を破るのはかなりむずかしい。ＴＯＥＦＬの場合、いわゆるふつうの大学が要求する点数が五百点以上である。大学院の場合は六百点がふつうである。

トフルアカデミーの話によると、ＴＯＥＦＬ六百点、ＧＭＡＴ六百点というのが、ＭＢＡ合格のひとつの目安だということである。

次の表は八八年度米国大学院合格者のアベレージスコア（ＭＢＡ）である。いかに、高いレベルを要求しているかわかる。

	（ＴＯＥＦＬ）	（ＧＭＡＴ）
ハーバード	630	—（今年から廃止）
スタンフォード	640	650
ＭＩＴ	620	620
シカゴ	630	630

コロンビア	620	630
UCLA	620	620
NYU	610	600
イリノイ	580	560

こんな大変な思いをするなら、東大入試の方が簡単ではないかと私などは思ってしまう。

私は、ハーバードMBAをめざそうとしている山形さんに、なぜ、そんな大変な思いをしてまで、MBAなのか是非聞きたかった。そこには、個人的、社会的ないろいろな要素が含まれているのではないかと察するからだ。

三十五をすぎた女性が、思いつきでMBAをめざすはずがない。

山形さんは慶応の工学部出身。在学中、一年間オレゴン州立大学に留学した経験をもっている。

彼女は語学というベースは完全にクリアしているのである。といっても、ずいぶん昔の話だ。

「大学の時、留学したのは、なんとなく外国を見てみたかったからなんです。それに英語がペラペラになりたかったし。行くなら今しかないと思ったの。一年間じゃ英語なんかうまくならないけど、とっても楽しかったわ。だって外国って別世界でしょ、緑がきれいだし、みんな親切だし。日本に帰りたくなかったわ」

一年間の留学から帰ってきた彼女は英語力をさらに磨くために英会話スクールに通い続けた。

英語を生かす仕事がしたい。彼女が三井系の石油関係の企業に就職したのも、そんな理由からだった。

「会社で使う書類は全部英語だし、それに面接の時の話では、外国に行かせてくれるということだったんです。だから決めたの」

彼女は思いだすと腹がたつというように話しだした。

「ところが入社してみたら、話がぜんぜんちがうんですよ。英語を生かすどころか、専門も生かせない。同じ工学部をでてきた男性はエンジニア扱いなのに、私は女だからという理由で彼らのアシスタント。それで、私、頭にきて上司にかみついたんです。そうするとある日、社長によばれて、社長がいうにはうちでは女性は事務職です。英語を生かしたかったらタイプ、通訳、書庫の整理などできるじゃないですか、って言われたんです。その時もうダメだと思いました」

彼女が工学部に入ったのも事務職ではなく専門職につきたかったからである。結婚までの猶予期間としてなんとなく大学に入った彼女ではなかった。

「結局、五年勤めましたけどお先まっ暗。だから、ずっと転職の機会を狙ってました」

そこで思いついたのが外資系企業である。外資なら自分の能力を生かせるのではないだろうか。フランスの大手製造メーカーに応募したら、最終の面接まで残った。その時、彼女は、入社したらどんな仕事をさせてもらえるのか聞いた。答えは秘書の仕事ということだった。外資とはいえ彼女の英語力しか評価しなかったのである。

「私は秘書の仕事なんかしたくないのよ。男性と同じ仕事がしたかったのに……」

次に考えたのが人材バンク。彼女は人材バンクに登録し、幅広く仕事を探そうと思った。しかし、彼女の英語力を買いたい会社はあっても専門を買ってくれる会社はなかなかなかった。

失意のどん底にいると、ある日人材バンクから連絡があった。あるコンピューター会社でワープロのインストラクターを探しているというのだ。その頃、ワープロはまだ珍しかった。彼女はとりあえず面接にいってみた。

そこで彼女は日本の女子就職事情の現実をみせつけられたのだ。

沢山の応募者の中から三人が最終面接に残った。その三人は、皆、高い学歴をもつ女性ばかりだった。

一人はお茶の水女子大学の物理科卒でドイツに留学したことのある女性。

もう一人は、一流私立大卒で英検一級の資格をもった女性。

そして最後の一人が、慶応大学工学部卒、アメリカ留学経験ありの山形さんである。

「こんなに高い学歴をもった女性が、どうして、まともな仕事につけないでこんな仕事に集まってくるの」

ワープロのインストラクターという、特に高学歴を必要としない職種に、これだけの女性たちが職を求めて集まってしまったのである。

彼女は強いショックをうけた。

私は山形さんの話を聞いていて、日本は学歴社会というけど、とんでもないと思った。日本は学歴が力にならない社会である。就職の時、少しでも有名な大学をでていた方が有利ということがあるが、学歴が資格となって生かされることはまれである。お茶大の物理をでていて、インストラクターの仕事しかない、というこの現実をどう受けとめたらいいのだろうか。

アメリカの例をだすのは嫌だが、少なくとも、これだけの学歴がある女性なら、一流企業の中で男性と伍して仕事をやらせてもらえる。とりあえずスタートラインにはつかせてもらえる。スタートラインに並ばせてもらえる資格、それが学歴なのである。アメリカ人は、そのためにより高いディグリーをとりたがるのである。

日本の場合、何のために大学にいくのだろうか。学歴が社会で生かせなかったら、大学にいく意味はないではないか。

特に芸術とかその他の特別な才能のない人にとって、唯一開かれている門が学歴である。とにかく一生懸命、勉強さえすれば学歴だけはとれるのである。

私は、面接に残った三人の話を、山形さんと別れてからも、ずっと忘れることができなかった。日本社会の中での女性の立場を象徴しているようなエピソードではないか。そして私には三人全員が語学に堪能なことも決して偶然ではないと思った。

山形さんは転職することをあきらめた。会社を辞めると、父親のアドバイスもあり、とりあえず学習塾を経営することに決めた。

塾を開くまでは、学習塾なんて開けば生徒が簡単に集まるとたかをくっていたが、現実は甘くなかった。そこで彼女は宣伝費として百万円かけることにした。学習塾もひとつのビジネスと考えたからだ。その宣伝の効果があり、生徒は徐々に集まり、現在約百名の中高生が通っている。もちろん彼女ひとりが教えるわけではない。講師の先生も数名雇っている。

学習塾をはじめて、今年で九年目。塾ビジネスとしては一応の成功をおさめたことになる。

そして、ＭＢＡ留学である。

彼女はビジネスをめざす女性らしく、ハキハキと話す。

「さっきもいったように、ＭＢＡにいこうと思ったのは今、思いついたわけじゃないのよ。ずっと温めていたの。塾の方も軌道にのったし、なんといってもビジネススクールに行くにはお金がかかるでしょ。私はとにかくビジネスの資格がほしいの。それも最高のね。MBAをとったからといって、外資の証券会社に就職したいというわけじゃないの。力をつけたいのよ。負けたくないのよ、男たちに」

彼女はひと息つくと言った。

「私、実業家になりたいの。そのために勉強したいんです。父親は地方で事業をやっているんです。将来は父の会社を継ぎたいと思っているの。でも父の会社には男のライバルがいるんですよ」

父親は娘だからといって会社を継がせようなどと考えてない。しかし、MBAをとればライバルの男にうってでられるかもしれない。彼女にはそんな計算もあるようだ。

むこうが経験と実力なら、こちらはMBAだ、というところなのだろう。

「留学したいという思いは根強くあります。女の場合語学をきわめなければ、解決しない部分ってあるんですよ」

私は彼女の話を聞きながら、嫌味だと思ったが、こう質問してみた。

「ビジネスの力をつけるのだったら、何も留学しなくてもいいんじゃないですか。日本の大学院で経営を勉強するとか。だって男の人は、語学できなくてもビジネスの世界で活躍しているでしょ」

すると彼女は首を振った。

「慶応の大学院にもありますよ、ビジネスコース。でも、慶応のMBAとっても社会で通用しない。やっぱり、ハーバード、スタンフォードにはかなわないのよ。どうせ勉強するなら、通用するMBAほしいじゃない。ハクが違うもの」

彼女は笑った。

準備は着々と進んでいる。彼女の場合、英語力の方はまったく問題ないようだ。英語力をさらにみがこうと英会話スクールにいくが、入るコースがなくて断られる。GMATのテストの方も目安の六百点はクリアしたそうだ。あとは、大学の成績証明書、推薦状三通、エッセイを書いて願書を提出し、入学許可を待てばいいのだ。

「今回は、沢山の大学院に願書送ってみようと思うの。もちろん全部トップ10の大学よ。ハーバードが第一志望だけど、入れるのを待っていたら遅くなる一方ですものね」

大学に願書を提出すると、ふつう面接が行われる。大学によっては、面接する人がむこうからくることもある。また大学によっては卒業生がかわりにインタビューすることもある。

トフルアカデミーの理事長西田氏はこう語る。

「二年前まではインタビューなどやってなかったんですよ。日本人はテストの成績がいいので書類選考で受かってしまうんです。しかしいざ授業をはじめると発言しないってことが多いわけですよ。これでは学校側も困る。そこでチェックにきだしたというわけですな」

むこうの受け入れ側も、日本人の受験者が増えたため、日本人の性格もわかってきたようだ。

アメリカでは、もうＭＢＡは威力を失いつつあるといわれている。ＭＢＡをかざして、金融業界で派手に仕事をしていたヤッピーたちも、一昨年のブラックマンディ以降、職を失う人たちが続出した。

ＭＢＡは必ずしも打出の小槌ではない。しかし、ビジネスの世界において最高の資格であることに変りはない。

日本からＭＢＡ留学をする人たちをみてみると、男女の間に大きな違いがあることに気づく。

それは男性のＭＢＡ留学は、そのほとんどが企業派遣であるということだ。女性の場合は自費。つまり、女性はいったん会社を辞めて、無職の状態で、しかも全額自己負担で留学するのである。大きなリスクである。

ちなみに、ハーバードの場合、学費は二年間で六万ドルである。一ドル百三十円で計算して七百八十万円。一ドル二百円の時代は、一千二百万円だったということになる。はんぱなお金ではない。ちょっと休んで留学でもしてみよう、などと気楽な気分でできる留学とはわけがちがう。

もちろん、ハーバードの場合、ＭＢＡさえとれば、年俸五万ドルは保証されているというのだから、六万ドルの学費を支払っても、みあうといえばみあうが。もし卒業できなかったら大損である。

企業派遣の男性はいい。タダで資格をとらせてもらえる。しかし女性の場合はちがう。

その人の人生すべてがかかっているのである。本当にリスクの高い賭けである。ゼロからの挑戦だ。

ハーバードにうらみがあるわけではないが、あちらの大学は日本の私立大学とちがい、国から援助金がでていない。時々、田舎の大学が売りにだされるのはこのためである。運営が上手でないと名門大学とはいえ、つぶれる危険性がある。

ビジネススクールというところは、その名の通り企業と直結しているところが多い。直結していないまでも、企業と関係をもちたがっている。企業からの献金に頼っているところが多い。大学も企業もお互いにパイプをつくりたいと思っているわけである。

大学側が自費留学の日本人女性より、ソニーや住商の男性社員を生徒にむかえたいわけがここにある。表だっては、言っていないが、そんなからくりがあると私は思っている。

山形さんは、以前、ハーバードに願書をだしてけられたことがある。彼女は、成績もエッセイも推薦状も完璧だったのに納得がいかないといっていた。ハーバードとはいえコネが必要、と彼女はいっていたが、その通りかもしれない。

アメリカ人は表向きはナイスで平等のようにみえるが、大学もビジネス。いい顔ばかりしてはいられないのである。

トフルアカデミーの理事長は語る。

「いくらMBAとっても、トップ10の大学院をでていなければ意味がないのですよ」

山形さんが、ハーバード、ハーバードというわけである。男性なら、企業派遣なので、どこのMBAをとろうが、その人の人生は変らない。会社で資格をとらせてくれてありがとう、という気持ちだろう。しかし、女性の場合は、ハーバードのMBAか、アイダホのMBAかによって、彼女の職業人生は大きく左右される。女性だからこそ、無理をしても最高をめざさなければならない、ということは大ありである。

私はしばし考えてしまった。

女性が秘書というアシスタントの仕事から脱皮し、男性と同じビジネスの世界に入ろうとしたら、今のところ道はひとつしかない。

アメリカの一流大学のMBAをとることである。

つまり女性の場合、英語ができなければ、ビジネス社会に入れる可能性がないということになる。

いくらビジネスマインドがあっても、英語という語学が苦手であれば、第一関門のMBA留学すらできないのである。

ハーバードはむずかしいにしても、入学してしまえば、あとは努力で卒業できる。在学中にビジネス能力もつくということもある。しかし、それにしても、英語という言葉ができなければ、先に進まないのである。

そうなると、女性にとって英語というのはビジネス社会に進出する上で必要不可欠のものということになる。

それが事実であるかどうか私は知らないが、彼女のいった言葉は私にとって、とても印象的だった。

「ハーバード、ハーバードって騒ぐけど、本当に優秀な人はトップ五パーセントの人たちだけなのよ。その他の人たちは大したことないのよ。ハーバードに行って帰ってきた人たちに話聞いたけど、行ってみたけど大したことなかったって。みんなそう言っていたわ」

それでも目ざすハーバードである。

昨年（一九八八年）、ハーバードのＭＢＡに応募した人の数は七千名。定員は八百名。日本人の応募者は六百名でそのうちの二十名が晴れて入学を許可された。日本女性は四名だった。その四名は、全員が自費留学である。

はたして山形さんは、来年、四人のうちの一人になれるだろうか。

＊

晴れてＭＢＡを取った女性たちは、一体どんな仕事についているのだろうか。私は非常に興味をもった。語学をクリアし、さらに専門を身につけた女たち。彼女たちは、思い通り、ビジネス界でバリバリ活躍しているのだろうか。

一九八七年一月十六日付の日経産業新聞に、ビジネス界で活躍する主なビジネススクール出身女性が紹介されていた。

石川エリ子（31）スタンフォード83年卒。シティコープ・アシスタントVP。（在NY）

石倉洋子（37）ハーバードDBA85年卒。マッキンゼー・コンサルタント。

石田江理子（28）仏インシアード85年卒。ウォーバーグ投資顧問。（在ロンドン）

小泉衛位子（39）ハーバード76年卒。インターナショナル・コンサルティング・オブ・ジャパン社長。

小林久美子（31）ニューヨーク85年卒。シティバンク財務部アシスタントマネージャー。

斉藤聖美（36）ハーバード81年卒。モルガン・スタンレー債券部VP。

中山まり（35）スタンフォード83年卒。モービル石油マガジン・サービス主任。

長嶋ひろみ（38）コロンビア82年卒。日本GE人事部マネージャー。

松川智子（30）スタンフォード84年卒。モルガン・スタンレー債券部次長。

三井園子（37）仏インシアード81年卒。パリバ銀行国際金融部VP。（在ロンドン）

山本桂子（32）MIT82年卒。EDSインターナショナル。（在デトロイト）

十一人中四人が海外で活躍。当然のことながら全員、外資系企業に就職している。V

Pというのはバイスプレジデントの略であるが、副社長という意味ではない。会社の規模によってまちまちだが、日本の企業でいうところの課長部長クラスにあたる。

とにかく、私はこの中の一人に電話をいれてみることにした。

「もしもし、私、女性の生き方と仕事について何冊か単行本を書いている松原と申しますが、MBAのことについてお聞きしたいのですが……」

超エリート大学のMBAをもっている女性に電話をするのかと思うと、思わず手がふるえた。おそらく考えられないほど多忙であることはまちがいない。取材に応じてくれればいいが。案外、エリートだからこそ取材されたいと思っているのかもしれない。期待と不安を胸に相手の出方を待った。

すると、その女性は私にこう言った。

「MBAのことについて、私に聞きにくるなんて安易じゃありませんか。自分の足でMBAもっている女性を探したらどうですか。だからマスコミの人って嫌なんです」

私は最初彼女のいっている意味がわからなかった。なぜ、彼女に聞くことが安易なのか。電話を切ってから、私はしばし考えた。

実にきつい言い方だ。取材に応じられなければ断ればいいことだ。私は今まで大勢の人に取材を申し込んできたが、こういう言い方をされたのははじめてだった。やっぱり、MBAの女性ってどこかちがうのかしら。

必死で勉強しMBAを手にいれ、必死で働いている女性は、人の行動が安易にみえるのだろうか。

それとも、MBAもっている女性の中で、自分がトップだという自負があるのだろうか。よくわからない。学歴の高い女性っていうのは、考え方の回路がちがうのかもしれない。

MBAをもった女たちは手ごわいぞ。

私は恐る恐る次の女性の会社のダイヤルを回した。電話にでた人の話によると、彼女はちがう部署に変ったということだった。

外資は異動が激しいと聞いている。

「すみませんが、そちらの部署につないでいただけませんか」

するとその女性はちょっと待つようにといった。

「ニューヨークです」

一年前の資料はまったくあてにならない。MBAをもった女性たちは、経済の流れの中で、動いているのである。

日経産業新聞の記事を読めばわかるが、全員、卒業して何年もたっていないのに、何回か転職を重ねている。

こんな調子で取材に応じてくれる人はいるのだろうか。私は心底不安になった。

だから、山本桂子さんが取材に快く応じてくれた時は、本当にうれしかった。彼女は日経産業新聞ではデトロイトにいることになっていたが、最近、日本に帰国していた。

私は、ドキドキしながら、渋谷のカフェで彼女が現われるのを待った。どんな女性なのだろうか。恐いのかしら。でも電話では感じがよかったわ。しかし頭のいい女性って、どんな顔をしているのかしら。

電話での話によると、彼女は妊娠しているということだった。しばらくすると、お腹の大きい女性が入ってきた。

「あっ彼女だわ」

ベージュのマタニティドレス、首にスカーフをまいて、今にも生れそうなお腹をかかえて入ってきた。

私は彼女を見るなり、「あっ、アメリカ人」と思ってしまった。目が青い、鼻が高いというのではない。スリットのある洋服を着ているというのではない。アメリカにいる働く女、そのものなのである。

つまり、かわい子ぶったりきれいぶったりキャリアウーマンぶってない、なんといったらいいのか、日本女性にはないアメリカ女性のアグレッシブさをもっている女性なのである。

日本のキャリアウーマン、外国帰りというと、とかく小宮悦子さんのファッションをやりがちだが、山本さんは、中身で勝負している、という感じだ。話す時の顔の表情が非常にダイナミックである。日本語をしゃべっているにもかかわらず、私は英語を聞いているような気がしてきた。

「産休中、ごめんなさいね」

私が苦しそうにしている彼女を見ながらいうと、彼女は眼鏡ごしにいった。

「私、産休中じゃないんですよ。今日は病院に行く日だったので、一日お休みしただけ。産休なんかとってないのよ」

彼女は外資系企業に勤めていると聞いていた。外資に産休制度はないのか。すると彼女は首をふりながらいった。

「産休はありますよ。六ヶ月とれるのかな。でも私はとらないんです。だってどこも悪くないんですもの。それに産休で仕事を長く離れるのには不安があるのよ」

彼女はウインクした。

山本桂子さん。三十五歳。MITことマサチューセッツ州立工科大学のMBA取得者。一説によると日本ではハーバードばかりもてはやされるが、内容からいくとMITの方が難しいとのことである。

山本さんは、そのMITのMBAを日本で初めてとった女性である。彼女は昨年までデトロイトで仕事をしていた。日本に一時帰国したのは、国際結婚しているアメリカ人の夫の仕事の都合である。

私はてっきり、彼女の仕事の都合で、つまり彼女の転勤で東京にとばされたのかと思っていたが、そうではなかった。

山本さんは現在、米国の製造メーカーの東京オフィスで、ファイナンシャルアナリストとして働いている。年収一千五百万円。さすがMBAといわざるをえない。

「MBAをとる気になったのはなぜですか」

私は、まず動機について聞くと彼女は答えた。

「アメリカの友人からビジネススクールというものがあって、そこをでるといろいろな仕事ができる可能性がある、と聞いたからなんです」

彼女は慶応大学法学部の出身。在学中に一年間、交換留学生としてアメリカに留学した経験をもつ。

「アメリカ文化は私の感性にピッタリでした」

彼女は将来は外交官になろうと思っていた。しかし、外務省とはいえ日本のお役所。文化的にあうだろうか。それとも国連に就職するべきだろうか。

その時、国際感覚を生かせる仕事がしたい半面、もう一度留学をしたいとも思っていた。たまたま、労働省の外郭団体の国際部に採用された。留学するなら少し働いてからでも遅くない。そこで二年間働き、MITにMBA留学したのである。一九八〇年、二十八歳の時だった。

ハーバードでなくMITを選んだのは、MITは数量に強い学校だからである。ハーバードは数字よりもケーススタディに重点をおいているそうだ。

「同じビジネススクールといっても内容はそれぞれですよ。ハーバードにいく女性は多いけど、MITは少ない。なぜなら、MITは数字に強くないとやっていけないんですよ。私がいる頃で、日本の女性は私ひとり、日本の企業派遣の男性が五人だけでした」

「授業はどうでしたか。すごく難しいんでしょ」

私が聞くと彼女はあっさりと答えた。

「英語はぜんぜん問題なかったですね。あとはやるだけでしたから」

MBAをとるには二年間学校に通わなければならない。夏休みは授業はお休みだが、そのかわりサマージョッブといって、実際に企業で働くことが課せられている。もちろん、それも単位にかかわってくる。

アメリカのサマージョッブは日本でいうところの研修とはちがう。短期間だが、会社に雇われるのである。実習という練習ではなく、実働。だから、こちらが例えばコカ・コーラボトラーズでサマージョッブしたくても、会社が必要としていなければアウトである。就職と同じでサマージョッブもコネが大事なのだ。

こういう時、日本人は大変である。日本の一流企業派遣の男性ならまだしも、私費留学の日本女性、しかもコネなしの身にとっては、サマージョッブを探すのもひと苦労である。

山本さんは頭をひねった。その時のことをこう語る。

「私はクラスで成績がトップというわけではなかった。だから雇い主に好印象を与えられる存在ではなかったんです。私は何を売り物にできるかしら。そうだ、日本人を売り物にするしかない。日本人といえば自動車、となると自動車メーカーなら、私に興味をもつかもしれない」

彼女の予想は的中した。大手自動車メーカーは彼女にサマージョッブをやらせてくれたのである。

そして、彼女の実力を認めた会社は、MIT卒業と共に彼女を正式に採用した。

私はそこで、すかさず聞いた。一番興味のあることである。MBAをとれば本当に鬼に金棒なのか。恐いものがないのか。露骨な話、給料がダントツにいいのか。

聞くところによると、MBAをもっていると男女にかかわらず二千万円ぐらいは軽くもらえるというが。

彼女はうなずきながら、本当のところを教えてくれた。

「MITの場合、トップ一〇パーセントに入れば、新卒でも三万一千ドルはもらえます。よっぽどへましない限りエリートコースは保証つきですね」

多くの人たちがビジネススクールをめざすわけである。大学新卒でふつう二万ドルというのが相場のアメリカ社会。学校でただけで、これだけの収入が保証される資格なぞ、他にそうあるものではない。もちろん、トップ一〇パーセントに入るのは、よほど優秀な人でないとむずかしいことはわかるが。

医者や弁護士の資格をとるより、てっとりばやい資格と言えそうだ。

彼女の話によると、MITのMBAをもっていれば軽く五万ドルはいくという。後日、証券会社で働くアメリカ人の女性に話を聞いたら、今でもMBAをもっていればビジネス社会では強い武器。年俸十万ドル二十万ドルとっている人はザラにいるという。

だから、多くのアメリカ人たちが、いったん社会人になったにもかかわらず、ＭＢＡをとりに大学にもどるわけである。資格があるのとないのとでは、収入に大きな差ができるからだ。

彼女は主張する。

「アメリカは日本より学歴社会なんですよ」

日本の場合同じ職種において東大の経済学部をでた人と日大の経済をでた人の給料に差はない。大学院をでているから、大卒より給料が高いということもない。逆に敬遠されることはあるが。

アメリカでは学歴（出身校、専攻）によって給料が決まるといっても過言ではない。アメリカは実力の社会。仕事ができれば学歴なんか関係ない、と思いがちだが、実際はそうではないのだ。

山本さんが言う通り、アメリカこそ本当の学歴社会なのである。学歴があっての実力主義というべきだろう。

私もあちらの大学院にいった経験があるが、日本では大学院にすすむというと、研究者か学者志望の人に限られているが、あちらでは、より高給をとるために大学院をめざす。私がアメリカにいたのは十年ほど前だが、その頃でマスター（修士課程）をもっている人は大勢いた。さらにその上のＰＨＤ（Ph.D. = Philosophiae Doctor）をめざす人たちもいるほどで、その時私には、なぜ、そんなにまでみんなが上の学歴をめざすのか理解できなかった。

バチェラー（大卒でもらえる学位）かマスターかドクターか。それにより給料も待遇も明らかにちがってくるのがアメリカ社会なのである。

学位というものは、そういうものであると私は思う。ひとつの資格なのだから、給料の差にあらわれてしかりである。日本の大学のようにたいして勉強しなくても学位がもらえてしまう国では、そのかわり、社会にでても学位の値打がないのである。

日本は学歴社会といわれているが、実はそうではなく肩書き社会、ブランド社会なのである。

学歴を武器に仕事をしようとする人にとって、学歴を生かせるのは海外でしかないというのは、なんとも悲しいことである。

もし、ハーバード、MITが英語圏にあるのではなく、日本にあり日本語で授業をうけることができたら、何百人、何千人のビジネスウーマンが生れることだろう。

日本の企業は、こうした優秀なビジネスウーマンなどほしがってないだろうが。日本に目の前の山本さんのような、やり手のビジネスウーマンをつかえる会社など、日本にはありそうもない。

彼女はエネルギッシュな女性だ。だから日本語をしゃべっていてもアメリカ人と一緒にいるような錯覚に陥るのだ。私は今まで大勢の働く女性に会ってきたが、彼女のようなタイプの女性ははじめてである。

日本が文化的にあわないというのも、とてもうなずける。

自動車メーカーに就職した山本さん。五年後に給料は四万五千ドルになった。しかし、MBAをもっているからといって、いい気になってはいられない。

彼女はトマトジュースに口をつけながら語った。

「会社の人は、その人がどれだけ給料にみあう仕事をしているかみているんですよ。この程度しかやってないのかってみられたら終り。企業からも、さすがMBAだなあって思わせないといけないんですよ」

自己アピールが大事だというわけだ。私はこれだけやってます、これだけできます、と、たえず誇示してなくてはいけないのがアメリカ社会なのだ。

肩パット三段いれなくては、やっていけない社会でもある。

私は彼女にたずねた。日本の企業に就職する気はなかったのかと。すると彼女は一笑に付すように言った。

「ぜんぜん。私はアメリカの方が働きやすくて好きなの。日本に帰るという発想はまったくなかったわ。今でもないんですよ。はやくアメリカに帰りたいわ」

彼女は現在の仕事の状態に不満である。しかし、夫の仕事の都合で一時的に日本に帰国しているだけなので、がまんできている。

彼女は日本で就職活動した時のおもしろいエピソードを聞かせてくれた。

夫の仕事が日立市に決まっていたので、二人で日立市に住んで、彼女の方は日立市で何か仕事を探したらどうかという話になった。

彼女は表情豊かな顔をさらに豊かにしながら言った。

「彼が彼の会社の人に私のことについて話したんです。同じ会社で働ければ一番いいわけですから。会社の人はとても好意的で、私のためにポジションを考えてくれたんです。調査部門で海外に人を派遣する仕事ならやってもらってもいいかなって」

彼女はアメリカ感覚で面接にいった。そして人事部長に尋ねた。

「その部署というのはどういう能力が必要なんでしょうか」

彼女は思いだしただけでもおかしいらしく笑いながら話を続けた。

「仕事の内容について聞いてみると、なにも大学でてなくてもできる仕事なんです。高卒の女の子で十分な仕事。お給料も四百五十万円ですって。ＭＢＡもってるのにですよ。お話にもならないでしょ。笑っちゃいますよ」

もちろん彼女はその場で断った。日本企業ではＭＢＡ資格のある女性を使う場所がないというのが彼女の結論だ。それ以来、彼女は日本企業で働くことを考えることは一切やめた。

現在、彼女が勤めている外資系製造メーカーの会社は、ヘッドハンターにたのんで探してもらった。

彼女は口をちょっと曲げて言う。今の仕事にも彼女は決して満足していないのだ。アメリカの企業の本社で長く働いてきた彼女にとって、日本にある外資の支社は、いくら外資でも、本社とはまったくちがうということだ。

彼女は言う。

「いくらトップ10に入るＭＢＡをもっていても、日本人がアメリカ企業の本社採用になるのはむずかしいんですよ」

ほとんどの日本人は本社で数ヶ月訓練され、日本のオフィスにまわされてしまうという。企業側は、ＭＢＡをもった日本人を日本のオフィスで働いてもらうために採用するのであって、本社で白人と肩を並べて働いてもらおうと思って採用してはいないということだ。

私は彼女の話を聞いていて、なんとなくうなずける気がした。

ビジネススクールは全米に約五百校ほどある。ＭＢＡを持つ人たちは、毎年、何万人と生れている。トップ10の学校をみるだけでも年間に何千人という卒業生が送りだされているのである。

当然一流企業に人は集まる。そんな中で誰が外国人である日本人を、しかも学校をでたというだけで経験のない女性を採用するというのだ。外国人をとるならアメリカ人をとった方がいい。アメリカ人は紙の上だけでないアメリカ経済を知っているからである。

ＭＢＡは学校である。お金さえ払ってくれれば学校側は数名の日本人女性を入れてあげても損はしない。しかし企業はちがう。人を雇うとなると話は別だ。

私は彼女の話を聞きながら、とてもそれは当然のことのように思えてきた。トップ10に入るMBAをもっているからといって、アメリカ企業の本社に採用され、白人男性と対等にやっていけると思ったら、甘いのである。

アメリカは平等というが、同じ学位をもつ白人男性と日本人女性が面接にきたら、白人男性の方を採用するのは、ごく自然なことであろう。

山本さんは語る。

「MITを卒業する時、もしアメリカで就職口がなかったらどうしようと思いましたよ。日本にもどって、仕事があるのかしら。とっても不安でした」

日本にある外資は日本の外資だ。本社とはまるでちがう。日本にある外資のオフィスになど本当は勤めたくないと山村さんははっきりという。早く、アメリカつまり本社に帰りたくて仕方がないということだ。

そこで私は彼女に聞いた。

「一千五百万円もお給料もらってても仕事に不満あるんですか」

三十五歳で年収一千五百万円。勤続十年というわけではない。就職した日からもらえるのである。

彼女は口をゆがめた。心から不満であるのがありありである。

彼女の不満とは次の通りだ。

「私、アメリカの本社採用なんです。ということは、転勤という形できている他のアメリカ人と変らないわけですよ。それなのに、私が日本人というだけで会社は私を差別するんですよ」

「差別って、どういう差別ですか。他のアメリカ人に比べてお給料が低いとか」

私が興味津々で尋ねると彼女は答えた。

「お給料は同じです。それ以外がちがうんです。彼らはパッケージがもらえるのに私はパッケージがもらえないんですよ」

パッケージというのは、海外赴任者のための住宅支給などもろもろの優遇措置のことである。

「アメリカ人はアパートはもちろん、家族を連れてきた時は一年に一回、会社負担で国に里帰りできるんです。子供の教育費も援助されるんですよ。それなのに私は何のパッケージももらえないんです。マンションだって高いお金だして借りているんですよ。許せないわ。この差別」

給料が同じでも、パッケージつきのアメリカ人と彼女とでは大いなる差があると力説する。

彼女はこの差別について頭にきたので、ある時、上司に抗議した。すると彼はこう言ったそうだ。

「そんなにパッケージがほしければ、アメリカ人になればいいじゃないか」

さすがの彼女もこれには言葉がなかった。

彼女はアメリカのMBAをとりアメリカの本社採用であっても、会社側からみたら、日本人なのである。

実力で差別されるのはかまわない。しかし人種で差別されるのは許せない。外人は麻布の億ションに住めて、日本人は自費で民間の2DKのマンションなんて……どういうことなの。

彼女は日本にもどり改めて自分は日本人であるということを感じさせられたのである。アメリカの本社でやっていける自信があるなら、日本の支社にもどってくる必要はないと彼女はつくづく思っている。

彼女が日本の外資で見た差別はそれだけではない。それは出張の時だ。

「アメリカ人はファーストクラスなのに日本人はエコノミークラスなんですよ」

日本にいる白人がいい気になるわけである。特に高い地位にいなくてもアメリカ人というだけで麻布に住んでファーストクラスで出張できるのだから。おそらく、この現実を日本人の秘書クラスの女性がみていたら、別に疑問も感じないだろう。外人なんだからということで。しかし、山本さんの場合は、これは不当な差別となっておしよせてくるのである。なぜなら、彼女はアメリカ人と同じ待遇で採用されたキャリア組。それに、あちらのグリーンカード（労働許可書）をもった、アメリカ市民なのであるから。

自分よりポジションの低いものでも、アメリカ人というだけでファーストクラスで飛ぶ。自分は彼らよりも地位が高いにもかかわらず、エコノミークラスしかとってもらえない。

彼女が憤慨する気持ちはわかる。しかし、彼女はアメリカ市民であるかもしれないが、彼らにとっては外国人なのであろう。

「アメリカ人になればいいじゃないか」

どんなに英語がネイティブのようにしゃべれても、どんなに優秀でも、日本人は日本人であってアメリカ人ではない。

外人も、ちょっとかわいくて英語がちょっぴりできる日本人女性にはやさしいが、対等な能力をもつ日本人女性にはきびしいということだろうか。

彼女はウンザリという顔をした。今度の人事で、彼女の上に年下でしかもＭＢＡすらもっていないアメリカ人がくることになった。

「どうして、私の上につくのか納得いかないわ。能力のある人ならわかるけど。ＭＢＡももっていない人なのよ」

もう今の会社で得るものはない、と彼女は考えている。しかし今、転職しないのは、いずれアメリカに帰ることが決まっているからである。

彼女は言った。会社のために働くのではなく、自分を向上させるために働く。だから、学ぶものがなくなれば、会社を去る。

「アメリカの会社に勤める時は、その会社を信用して入るわけじゃないんですよ。いくら能力があって上層部にかわいがられても、会社の業績が悪ければクビですからね」

彼女が入社して初日にやる仕事は、次の会社にもっていく履歴書書きだという。だから いつクビを切られてもいいように、たえず実力だけはつけておく必要がある。他の市場で自分を売れるようにしておかなければならないのだ。

私は彼女の話を聞いていて、キンキンしているアメリカのキャリアウーマンたちの姿を思いだし、そうなるのも無理ないことだと思った。

能力も学歴もさることながら、性格的にアグレッシブでないとアメリカのビジネス社会の中で生きていけそうもない。

しかし、実力と学歴さえあれば、男女を問わずどんどん出世できると思えるアメリカ社会でも、女、四十歳からの転職はむずかしい。

MBA取得者の中には、証券会社や投資銀行に勤め、短期で高収入を得、四十代で辞め、趣味の世界に入る人は多い。

MBAをもつ証券アナリストなどで優秀な人は、年俸、五千万円ぐらいは軽くとる。十年間、猛烈に働き、あとは寝て暮す。MBAの中には、そんな人たちが多い。

証券会社はペイもいいが、労働も激しい。それこそ国際相場をみていなければならないので、昼、夜、休みも関係なしである。とても長く働ける職種ではない。

ある外資の証券会社に勤める男性はそんな女性たちについてこういっていた。

「あの女性たちは、性も仕事のうちだからね」

本当かどうか、私は知らない。先をこされた男のやっかみかもしれないが、体力も能力も社交も百パーセントだしきらないと生き残れない世界であることだけは確かなようだ。

山本さんがあえて金融関係の会社に就職しなかったのは、お金にはなるがそうした現実を知っていたからである。

現在の製造メーカーの仕事でも、帰宅が夜中の十二時ということはざら。彼女ははじめて顔をゆるめた。

「ここまでやってこられたのも、理解ある夫のおかげです。日本人の夫なら無理だったわね」

仕事のできる日本女性を妻にして、アメリカ人の夫も誇りにちがいない。

今にもはちきれそうなお腹をかかえた山本さんは、幸福そうに笑った。

彼女は子供を生みおえたら、おそらく一週間後には職場に復帰するにちがいない。彼女の頭の中は仕事のことでいっぱいのように見えた。

ビジネスウーマンに大きなお腹はにあわないなあと私は妙な気持ちで彼女をながめていた。

英語もできて、専門ももっている、そして仕事もできる三拍子そろった女性、それが山本さんである。

私は最後に彼女に聞いてみた。

「英語は女性にとって社会進出する上で、武器になると思いますか。それとも英語なんかできなくてもと思いますか」

私が興味津々で彼女の口から出る答えを待っていると、彼女ははっきりとした口調で言った。

「どんな仕事をするにしても、英語ができなくちゃダメだと思いますよ。いくら専門をもっていても、英語ができなければ、そう簡単にいい仕事はさせてもらえないんじゃないですか。英語ができるということは働く上での最低条件だと思いますよ」

女性にとって英語ができることは不可欠という答えである。もちろん、彼女の場合、仕事という時、日本企業は眼中にないが。

女にとって英語ができるということは、社会進出する上での第一歩。つまり英語をクリアできなければ、専門を勉強することもできない。ゆえに仕事を得ることもできない。新卒で望む企業に就職した女性は別である。しかし、多くの女性は転職の道を歩む。そんな彼女たちにとって再雇用のチャンスを与えてくれるところは外資しかない。それが現実である。

ＭＢＡに限らず、現在の日本女性が企業の中で男と同等に扱われようと思うならば、留学してあちらの大学の学位をとり外資系企業に就職するというルートしか今のところない。もちろん例外的な女性もいるだろうが。

となると、英語ができるかできないかということは、女性の将来を大きく左右することになる。

いくらビジネスの能力があっても、セールスのセンスがあっても英語ができなければ、学位をとることができないわけであるから、一歩も前に進めないことになる。

英語のできる女性はビジネスの門だけでなく、社会進出の道も大きく開かれているということになる。

つまり、英語ができる女性は、あちらの教育をうけ、あちらの企業に自分を売ることになる。

なんとも皮肉なことではないか。向学心があり、やる気のある日本女性は、海外でしかその能力を発揮できないということは。日本企業の中で彼女たちの能力を生かすことはできないのだろうか。

私は日本企業を訪れ、その辺のことについて聞いてみることにした。

我が国の企業は日夜、国際化、国際化といっている。彼女たちこそ、企業が求めている優秀な人材ではないか。

まず、女性雇用では定評のある東京銀行で話を聞いた。

「例えばハーバードのMBAをとった女性が就職したい、と来たとします。おたくの会社では、彼女を採用しますか」

私がそう質問すると人事部の女性は、

「ええ、もちろん、そういう優秀な人材は我が社ではほしいですね」

と私の想像に反した答えが返ってきた。

我が国の企業でも外国で取得したＭＢＡは通用するのだ。私は自分の無知をなじりながら、もう一度念のため質問しなおした。

「例えば、その人が三十歳ぐらいでもですか」

すると人事部の女性はとたんに首をかしげた。

「そうなると管理職処遇をしなければならないので問題ですね。……それにＭＢＡとっただけでは海のものとも山のものともつかないし。おそらく採用できないと思います」

つまり、新卒のＭＢＡならほしいが、転職組の年のいったＭＢＡの女性はいらないということである。他の企業でも話をきいたが、答えは同じだった。

やっぱり、である。

一度、コースをふみはずした女性にとって、いくら資格や能力があっても、日本企業はチャンスを与えない、ということがいえそうだ。日本企業の組織構造がアメリカとちがうといってしまえばそれまでのことだが。もちろん、ＭＢＡをとった女性は今の日本企業では働く気もしないだろうが。

日本企業で話を聞きながら、私はつくづく思った。

そのうち能力のある日本の女性たちは、みんな海外に留学し、外国の企業で働くようになるのではないだろうかと。本気で働こうとする女性にとって、日本の企業はまだまだ閉鎖的すぎる。

今のところ、これから何かしようとする女性にとっての得策として考えられることは、留学して資格をとり、外資に就職するしか方法がないように思える。

そういう意味からも英語はビジネス社会で働きたい女性にとって必要不可欠なものである。

しかし、女と男、同じ英語を必要としているといっても、その意味は大きくちがう。男は、ビジネスが先にあっての英語である。一方、女は、英語が先なのである。女は先に英語ありき、それが現実である。

MBAをとって外資系企業のビジネス社会の中でバリバリ働いている女性たちをみていたら、なにか、彼女たちが日本社会にしかえししているように見えてきた。

彼女たちの才能と能力は、日本社会には何も還元されていない。実に残念なことである。

第三章　日本企業の中での英語

正木亜紀子さん、二十七歳は、この春五年間勤めていた銀行を退職した。彼女が銀行を辞めた理由は表向きは結婚のためだが、本当の理由は会社に対して並々ならぬ不満をもっていたからだ。結婚相手がうまく見つかったからいいようなものの、もし、あのまずっと働いていなければならなかったとしたら。そう考えるだけで彼女は暗い気分になる。

正木さんは、現在会社の看板を背負っていないという気楽さから、話を聞かせてくれた。

明るくさわやかな感じのいい女性である。お見合いの成功率百パーセントといわれている芦田淳のドレスが似合いそうだ。

自由が丘のオシャレな喫茶店で彼女に会った。

正木さんは慶応大学経済学部の出身。彼女は親の転勤のため小学校六年から中学二年にかけてアメリカで生活した。いわゆる帰国子女である。

英語はかなりできる。

「大学生の頃から、英語を生かした仕事がしたいなあって思っていたんです」

大きな目をくるくるさせながら話しはじめた。

その時最初にうかんだ職業が同時通訳だった。サイマルアカデミーに一年通ったが、プロの同時通訳者になるのは、かなりむずかしい、バイリンガルだけではとてもなれないことを痛感し断念した。しかし、英語を生かした仕事をしたいという願望は変らなかった。

同時通訳をめざすぐらい英語ができるのなら日本企業に就職するより、外資系企業に就職した方がてっとり早いと思うが。

私がそう聞くと、彼女は悪気なく答えた。

「外資にいけばみんなが英語ができるでしょ。外資より日本企業に入った方が目立つんじゃないかと思って日本企業にしたんです」

彼女は英語を自分だけがもつ武器として認めてもらいたかったのだ。

正木さんは入社当時を思いだしながら語った。

「その頃、特に銀行では、国際化、国際化といわれている時期だったんです。銀行では英語を話す人を必要としているっていわれてたんです」

彼女の第一志望は東京銀行だった。しかし、その年、東京銀行は四大卒の女性を採用しなかった。そこで三井系の銀行に就職することにした。

面接にいった。人事部の人は彼女の履歴書をみながら、こう言った。

「あなたには国際感覚と英語を生かした仕事を是非していただきたいですね」

彼女はこおどりしてよろこんだ。約束通り、彼女は入社すると国際金融部に配属された。希望通りの部署だった。

「入った時は、何もかも目新しくて、ウキウキしてました。がんばろう。会社は私に期待してくれているんだ。そう思いました」

その年入社した四大卒の女子社員は七名だった。彼女たちは英文科をでているにもかかわらず、事務や秘書課に配属されていった。英語を生かせる部署に配属されたのは帰国子女でバイリンガルの正木さんだけだった。

彼女の主な仕事は外国から入るテレックスを打ったり訳したり、外国の顧客宛の契約書を訳したりするいわゆる翻訳業務が主だった。他の女子社員がしている伝票整理のような雑務はやらされなかった。彼女は文字通りスペシャリストとして特別扱いされたわけである。もちろんこうなることは、彼女の望みだった。

同じ課に事務の女性が三人いた。彼女の先輩である。

正木さんは顔をゆがめると話しだした。

「はじめのうちは自分の仕事だけやっていたんですが、私だけ特別扱いされていていいのかしら。だんだんまわりの状況が把握できるようになるとプレッシャーがかかってきたんです。私は残業がない。でも彼女たちは毎日残業している。……私も手伝わなくてはいけないのじゃないかしら」

一人でとても先に帰れる雰囲気ではなかった。彼女の仕事はしだいに事務屋さんになっていった。日本の企業に就職する場合、その人は職種（専門）で採用されるわけではない。女性の場合、全員、事務職として採用されるわけである。彼女は英語を使うという特別の仕事をさせられていたが、根底は事務職で単に翻訳を少しよけいにさせられているにすぎなかったのである。

「英語ができる人はいいわね。伝票整理やらなくていいんだから」

実際には面とむかっていわれなかったが、そんな声が聞こえるような気がした。彼女が目立つ分だけ、彼女も先輩に気を使わなくてはならなかった。

夏休み明け、出社したとたん彼女は部長に呼ばれた。

「正木君、君は秘書の仕事をしたいと思わんかね」

彼女はギクリとした。入社の面接の時にも同じことを聞かれ、きっぱりと断ったはずなのに。彼女は英語は生かしたかったが、秘書にはなりたくないと常々思っていた。秘書をやるために銀行に入ったのではなかった。英語を生かした実務をやりたかったのだ。

九月、辞令により顧問の秘書にさせられた。

「すごいショックでした。なんで急に、そうなったんだろう。でもしばらくして考えなおしたんです。外人のお客様も多いことだし、英語を使うことも多いかもしれない。まあしようがないかなって」

ところが実際に仕事をはじめてみたら、外人のお客様はほとんどなかった。

「ひまでひまで……事務と雑用。調子くるっちゃいました。でも大企業だから文句のいいようもない。私ひとりが騒いだって仕方のないことだし。これが企業なんだわ。それであきらめました」

そのうち円高がはじまり債券部が急に忙しくなった。ひまな彼女は手伝わされた。

「その時の課長が話のわかる人で、私にせっかく外国で勉強してきたんだから外債ニュース（取引先へ配布する小冊子）の仕事をやってみないかといわれたんです。それで、そっちの仕事をさせられたんです。仕事としては、英語も生かせるしおもしろかったんですが、その課にもまた事務の女性がいて……」

帰ってもいいよ、といわれたが、またしても彼女たちの仕事を手伝わずに帰れない雰囲気があった。

英語を武器に目立ちたいと思って入社した正木さんだったが、かえってそのことはマイナスになった。

またしても中途半端な存在でいるうちに、二年がたち、直属の上司が代った。今度の上司は、女は事務をやってればいい、女は男のアシスタントという考えの人だった。

「これ、ちょっと訳しておいて」

「ちょっと国際電話かけてくれないかい」

彼女は男性社員のお手伝いさん、便利屋さんとして使われるだけだった。こんなはずじゃなかった。もっと国際的な仕事をさせてくれると思っていたのに。私の英語力は十分それにこたえられるはずだ。

彼女は思いだすように言った。

「日本企業に入ると、はじめは能力を生かした仕事をやらせてくれそうなことをいいますけど、実際にはやらせてくれません。どうせ女は腰かけなんだからってみているんですよ。私思うんですけど、大企業では女は絶対えらくなれないと思います。こういうことがあるんですよ。均等法ができて、ある女子社員が、総合職にうつりたいと上司に申告したんです。そうしたら、その上司、何といったと思います。人事部の方に角がたつから、とりさげてくれって」

彼女は大きなため息をついた。

「大企業で英語のできる女性の仕事といったら、サンキューレターを書くことです」

サンキューレターとは外国人の客へのお礼の手紙。

〝先日は当社主催の夕食会におこしいただきありがとうございました……〟

「何通書かされたかしれないわ」

彼女は自分のことを、サンキューレターガール、といって笑った。

「サンキューレターばかり書かされて本当に頭にきました。男性には英語ができる人がいても、サンキューレターは書かせないのに。でも大きな組織では私一人あがいてもどうすることもできないんです。女はどんなにがんばっても大企業では見込みがないと思いました」

私は彼女の話をききながら、彼女ぐらい英語が堪能ならこんな時、彼女の出番があるのではないかと思った。

例えば男子社員が外国人と商談をする際の通訳とか会議の時の通訳とか。

そんな時は誰を使うのだろうか。私が彼女に質問すると彼女はすぐに答えた。

「通訳たのまれるっていっても、外国人のお客様をお部屋へ案内するまでの通訳ですよ。商談となると、女を絶対に中に入れてくれません。男の人でもしゃべれる人がいてその男性《ひと》が通訳をするんです。女は絶対にビジネスにはいれてもらえないんですよ」

彼女はため息をついた。

大企業、特に銀行、商社などは体質が古い。誰も表だっては言わないが、女はアシスタントしてればいいんだ、という考えを多くの男たちがもっていることは確かだろう。ところが英語ができる女性は、職場で自分の特技である英語を生かしたいと思っている。英語ができるということは、確かに特技だ。

しかし女性が企業の中で英語を生かす場合、便利屋としてしか生かせないというのも現実なのだ。

彼女の話によると、会社の中には外人のスタッフもいて、契約書など重要な英語のチェックは、彼らがするという。いくらバイリンガルでも会社は日本人の語学力を百パーセント信用していないということになる。

日本企業の中で、英語を生かしたい！

もしかしたら、その発想自体に無理があるのかもしれない。


私は次に商社に勤める女性に会った。

田村淳子さん、二十四歳。上智大学文学部出身。小学六年生から中学二年にかけてアメリカですごした。父親の職業も商社である。

私は話をうかがうために彼女の自宅に電話をいれた。

お母さんが電話口にでた。

「このところ、仕事で帰りは毎晩、十二時ちかくなんですよ」

すでに時間は夜の十時だ。

私は何時でもいいから電話をもらいたいと告げ、彼女からの電話を待った。電話が鳴ったのは夜中の二時だった。

「すみません、遅くなって、今、帰ってきたものですから」

私はいささか驚いた。若い女子社員がこんな夜中まで残業しているとは……。

「今週は特に忙しい週だったんです。私、会社にいいようにこきつかわれているんですよ」

彼女が商社に就職を決めたのは、商社なら外国と取引きがあるので、英語を十分に生かせるだろうと思ったからだ。

「私は英語が使える部署に入りたかったんです。私の希望は通らなかったわけです」

外国ではなく国内貿易担当の部署に配属された。会社としては、英語の堪能な女性を必ずしも外国関係の部署に配属しようとは考えてない。

人より英語力がすぐれているから、英語を使う部署に入れてもらえる、という発想自体甘かったのだ。

私、英語ができます。会話もペラペラです。

で、何なの、ということだろうか。

日本の商社では、英語ができて当り前。英語ができることがセールスポイントにならないのだろうか。もはや商社ではその次元にまで、全体の英語力はアップしているということなのだろうか。

彼女にこの点について聞いてみた。

「私の場合、英語が人並以上にできます。私も会社に、再三英語を使う仕事がしたいと意思表示しているのに、会社はまったく今の状態を変えようとはしません。会社は女子社員は英語なんかできなくていい、と思っているんですよ。海外から電話が入った時、そういう仕事は女性にさせます。でも肝心の仕事は絶対に女性にはさせてくれません」

彼女は不満気である。

「課に十一年外国暮しの経験のあるすごく英語ができる女性がいるんですよ。彼女になんか、もっと彼女の英語力を生かせる仕事をやらせてあげたらいいのにって思うんですけど……ずっと事務やらせてますよ」

英語のできる彼女には、会社がよい人材をみすみす捨てているように見える。しかし、英語ができることは、そんなに認めてもらう価値のあるものなのだろうかという気がしないでもない。

彼女はさらに言葉を続けた。

「最近では男の人は英語ができないとダメだといわれています。彼らは、会社にお金をだしてもらって、サイマルなどの英語学校に通ってます。男の人はバンバン英語使って仕事させるのに、女はいくら英語できても雑用係としか会社はみないんですよ。男性にお金かける分英語のできる女性にやらせればいいのにと思うんですが……」

彼女のおこる気持ちはわかる。しかし、私は彼女の話を聞いていて、腑におちない点があった。

三年前、男女機会均等法が成立した。彼女は均等法以降の採用である。総合職でも女性にアシスタントの仕事しかさせないのだろうか。

彼女は言った。

「私、事務職なんです。うちの会社に総合職で入った女性はいません」

どうして？　私がおどろいて聞きかえすと、彼女は説明した。

「人事部の人がいうには、総合職の女性を募集したが、見あう人がいなかったのでとなかったということなんです」

均等法ができたからといって、皆が皆、総合職の女性を採用しているとは限らないのだ。そういう会社は結構あるらしい。しかし会社の内情というものは聞いてみないとわからないものである。

彼女は受話器のむこうで小さく笑うといった。

「でも、男性の場合、英語があまりできすぎても悲劇みたいですよ。帰国子女の男性なんか、翻訳と通訳を専門にさせられて、仕事らしい仕事をさせてもらってませんもの」

帰国子女は通訳、翻訳の機械ではないのにわからない上司がいて困る、と彼女は嘆く。

英語というのは、できすぎればすぎたで問題になるし、できなければできないで苦労するし、本当にやっかいなものである。しかし、英語とは元来、外国人とコミュニケーションするための道具なのだから、できる人を道具として使いたい、という会社側の気持ちもわからないでもない。

「英語のできる男は自動翻訳機として使われていますよ。そういう男性は不満をもっている。だからといって女性をつかうというわけではないんですよ」

彼女は完全に会社に失望しているという。英語を生かした仕事についていればまだしも、現在の彼女は会社に使われるだけ使われているような気がして不愉快で仕方がない。

彼女は最後にこう言った。

「私、五月で会社やめます。結婚するというのが主な理由ですけど、もうひとつの理由は、英語にもどりたいからなんです」

英語にもどるって？　私が聞くと彼女は答えた。

「英語を使う仕事がしたいんです。……英語は私にとってとても大事なんです。私から英語とったらなんのとりえもなくなっちゃう。そのくらいに思っています。企業では生かせないってわかったので、また学校にでも行きなおして通訳でもやりたいと思ってます」

＊

リクルートリサーチの調べによると昭和六十三年三月に卒業した四大卒の女子が就職を希望する人気企業ランキングは次の通りだ。サンプル数二千七百八十七名。

第一位……日本電信電話　二三五
第二位……日本アイ・ビー・エム　二三二
第三位……日本交通公社　二一一

第四位……日本放送協会　一五五
第五位……日本電気　一五一
第六位……全日本空輸　一五〇
第七位……日本航空　一四六
第八位……富士通　一四四
第九位……サントリー　一四〇
第十位……近畿日本ツーリスト　一二〇

じっとこの表をみていると、外国、国際性、英語と深く関係した企業が女性に人気のあることがわかる。ちなみに、十年前、昭和五十三年の女子大生人気企業は、次の通りである。

一位から順にあげると、ＮＨＫ、日本航空、三井物産、集英社、朝日新聞社、三菱商事、講談社、日本交通公社、東京銀行、全日空である。

十年前と比べると、商社、出版社などの人気がおち、語学が即戦力になる企業に人気が集中していることがはっきりとわかる。この表をみていると、語学を好きな女性たちの姿がみえかくれしてならない。女性が就職先を考える時、英語に期待する女性が少なくないのではないだろうか。かつて一番人気だった銀行や商社に就職を希望する女性が少ないというのは、先に登場した二人の女性の話でもわかるように、会社の中で英語を生かすことができない、とわかったからではないだろうか。もちろん、英語だけの理由ではなく女子の昇進の道がないということもあるが。

人気企業では、英語のできる女性を必要としているのだろうか。

私は受け入れ側の考え方が知りたいと思い、人気企業を中心に何社かピックアップし訪ねることにした。ここで言うのも何だが、私は一流企業とよばれる会社が苦手だ。嫌いといった方が正解かもしれない。これは私の動物的カンでまちがっているかもしれないが、一流企業というのはどうも外づらばかりいいように見えてならないのだ。それに一流企業は私のように看板のない女性は好きでないような気がする。そんなわけで、私は今まで日本の一流企業の取材を行ったことがない。

しかし、今回は、企業側の話を聞かないことには英語を生かしたい女のぐちだけに終ってしまう危険性がある。

私は取材したい企業のリストをつくった。

まず人気企業ナンバーツーの日本ＩＢＭ。女性雇用で人気の高い東京銀行、証券会社の代表として野村証券、メーカーの代表として、日本電気、サントリー、そして問題が多いにもかかわらず相変らず人気ナンバーワンのＮＴＴ。

取材の要請に敏速に対応してくれた会社は、サントリー、日本電気とＮＴＴ。東京銀行とＩＢＭはなかなか返事がもらえなかった。あきらめていたら広報部から連絡が入り、なんとかＯＫがとれた。野村証券は後で連絡するといったにもかかわらず何もいってこなかった。

何か悪いことを書かれて会社の評判をおとしたらいけないと思っているのだろうか。正直いって、その気持ちはわからないでもないが。

まず、サントリーの本社にうかがった。エレベーターで四階の受付にあがり私はおどろいた。受付前の広い待合室には、何十人という業者が担当者の現われるのを待っている。まるで駅か病院の待合室のようだ。どこもかしこも男ばかり。

個室に案内され、広報の人に話をうかがった。彼は開口一番私にこういった。

「女性で語学を生かしたいという人ですか。それは多いですよ」

やっぱり、と私は思った。何人という数字はあげられないが、面接にくる女性の約二割の人が、はっきりと語学を生かしたいと意思表示するという。しかし、入社できたからといって、語学を使える部署は国際部、原料部、ワイン事業部などと限られている。生かしたくても生かせる場所は少ないというわけだ。

現在、ワイン事業部で華々しく活躍している女性がいるが、彼女は英語のみならずフランス語、ポルトガル語もこなすということだ。

つまり、英語ができても、それだけでは特に意味がない。むしろ語学を生かしたいのなら、タイ語や中国語など他の外国語の方が価値がある。中国に留学して中国語ができるというのなら生かすポジションはあるが、アメリカに留学してましたというだけでは、特に売り物にならないということである。

広報の人はこう語る。

「例えば面接の時、留学していたので語学を生かす仕事につきたいのですがとか、私は英検の一級をもってます、とか言って語学ができることを強調する人は女性には多いですけど、こちらとしては、語学を前面にだしてくると、この人、語学しかできないのかなあって思ってしまうんですよね」

貴重な意見だ。会社側は語学にこだわる女性をそういう目でみているのだ。

さらに彼はこう話してくれた。

利口な学生になると、英語ができることを前面にださない。そういう学生は英語のことにはふれず何でもやらせていただきますという。履歴書をみると、留学した経験があることが書いてある。そんな時、試験官はこう思うそうだ。

「ほっ、こいつは英語もできるのか」

もちろんこれは男子の場合の話である。女子の場合も、本当にそうなのかというと、私はちょっと疑問なのではないかと思う。

女性が職場で英語を生かしたい気持ちはわかる。しかしそのことにこだわることより、まず第一に仕事ができることの方が重要だ、と広報の人は強調する。

仮にその人が英語に問題があったとしても、いざとなれば通訳をつかえばいいことですから、ということだ。

東京銀行は数ある銀行の中でも国際性を特に必要とする銀行である。海外旅行をするとわかるが、東京銀行は国内より海外に支店を多くもつ。そのためか、語学のできる人たちが必然的に集まってくる。

東京銀行、人事部部長代理の山田さんは、こう語る。

「英語を生かしたい、といって応募してくる女性は実に多いですよ。東京銀行の場合、会社概要のところに国際性がある、と謳っているからでしょうが。英語は私の特技だから生かしたい。使いたい。こういう考え方は女性特有のものだと思いますね」

彼女の話によると、女性の場合は、一生働く意志のない人が多い。だから、即、特技を生かしたいとあせる。非常に女性は短絡思考である、ということだ。

「英語にこだわる人はのびないですね。素地として英語力があることは大事ですが、あくまでも英語は手段ですから」

東京銀行の場合、英検一級をもっていても英語を使う仕事についていない人も大勢いるという。

しかし東京銀行では、社員三千名中六百人が常時、海外にでている。社員のほとんどの人が海外経験をもつというのが会社の方針だ。となると基礎的な語学力というのは必要不可欠のものになる。

「英語能力がすぐれていても、銀行員としての能力がなければ言語道断です。これから就職しようという人にいいたいですね。金融の最先端で英語は武器になりませんよって」

女性も総合職の男性と同じように仕事に対しての心構えをもってほしい。とかく女性は短期燃焼型で英語だけに限らず、おもしろい仕事をしたがる。英語が使いたいと希望する女性には、外為やカウンター業務をやってもらっている。つまり、一生仕事をしていこうという女性は、英語を使う仕事にこだわらないということである。

東銀にはバイリンガルギャルが国際性ある会社だということから憧れて入ってくる。しかし今や、バイリンガルは珍しい存在ではなくなった。これからはバイリンガル、プラス何ができるかが問題である。

山田さんは、語学系の大学をでた女性より、社会学、経済学など語学以外の社会科学系の勉強をしてきた女性に魅力を感じるという。

ここ数年、人気企業トップ5に入っている日本電気の人事担当者は、私にはっきりとこういった。

「語学とパソコンは今や常識ですよ。昔、語学を使う仕事は高い仕事でした。スチュアーデスなんかいい例ですよ。我が社でも、英語ができると得だ、そういう時代もありました。それは十年前の話ですよ。今は語学は何の武器にもなりません」

語学で勝負したいのならタイ語、スペイン語、ポルトガル語。英語は何の特色にもならないという。

ＮＥＣでは、現在、全社員にトーイックを受けることを義務づけている。アフターファイブも英語の自主研修プログラムが用意されており語学の勉強ができるようになっている。

トーイック九百点以上の優秀な女性は沢山いるという。面接の時、女性の中には英語の他に他の外国語もできます、という人もいる。

「じゃ、ドイツ語で今いったことを言ってみて下さい」

と試験官がいうと、ペラペラとドイツ語がでてくる。このように女性には語学の能力のある人たち、海外経験のある人たちが多くいる。語学のレベルは女性の方がはるかに上だ。その点はみんなが認めている。

「女性の大きな特質はむこうにいったことがあるっていうことですね。そして英語ができるってことです。男性は英語が必ずしもできる人が多くはないが、英語は？　と聞くと、できないけどやります。そこが女性と男性、大きくちがうところですね」

英語にこだわるのは女性特有の傾向。ここでも同じことを企業側の人間は感じている。それでは女性は英語などできなくてもいいから、男のようにやる気があれば採用されるのだろうか。私はそれはちがうと思う。

表だっては言わないが、入社試験の時、英語ができる女性の方ができない人より有利なのは当然のことではないだろうか。現に、帰国子女や上智大学の英語科の卒業生の一流企業への就職率はすこぶるよい。英語ができる、できないは、大した問題じゃないというが、それは入社後の話だ。

いや、企業は、女性には英語と仕事ができることをワンセットで求め、男性には仕事の能力だけを求めているのかもしれない。

「英語はできないけどやります」

という言葉に魅力を感じるということはそういうことではないだろうか。

もし面接の時、男子学生が、

「僕は二ヶ国語できます」

といったら、試験官は彼をどうみるだろうか。

きっと心の底で、語学のできる男はどこか女性的でたよりないと思っているのではないだろうか。

ある一流企業に勤める四十五歳になる男性がいる。彼は帰国子女ではないが、外国通で英語もペラペラ。彼が二十代、三十代の頃、社内に英語が堪能な社員が少なかったこともあり、彼は国際電話というとうけとらせられた。

「おい、すまんが電話でてくれ」同僚や上司にそうたのまれることが彼は決して嫌ではなかった。むしろ誇りに思っていた。

彼のしゃべる英語は課内をBGMのようにかけめぐった。他の同僚は昭和十年代生れということもあり、英語はいたって苦手。「あいつは海外出張の時はいいよな」彼は、同僚にうらやましがられる存在だった。

しかし、現在、同期の仲間たちが営業部、人事部などの最前線で課長部長など役付きになっているのに、彼は部下なしの室長。いわゆる窓際族である。

語学と彼の出世は関係ないかもしれないが私には、彼が語学ができ、それが目立ったことにより昇進にわざわいしたと思えてならない。

英語ができるにこしたことはないが、男性の場合、それを前面にださない方が利口なようだ。仕事より英語ができすぎると昇進のさまたげになる。

ソニーの会長の盛田昭夫氏の英語には定評がある。ハーバード大学で講演をした時には、学生たちが会場に入りきれないほどだったという。

英語も堪能でビジネスもできる。そういう男性もいることはいる。しかし盛田氏が仮に英語がひと言もしゃべれなくても、彼のビジネスマンとしての評価は変らないはずだ。

男性にとってあくまでも語学は、そえものである。

ある商社マンは私にこういった。

「英語ですか。まああってとこですね。海外から入ってくるテレックスなどは、全部英語ですからね。ちょっと複雑なものはテンプの女の子にやってもらってます」

テンプというのはテンプスタッフ。つまり人材派遣会社からきている女性にやらせるということである。

「私の英会話力は大したことないですよ。会社で習わされてますが……上達しませんね。

私はね、あまり上手にならなくていいと思ってるんですよ。海外にとばされたくないのでね。単身赴任はしたくないですからね。適当に目立たなく英語のレッスンうけてますよ、アハハ……」

伊藤忠商事などのように、社員全員に英語の検定試験を義務づけ、入社してから四年の間に中級のテストに合格しないものは昇進させない、という会社もある。テストの中味は英検二級より少しやさしい程度ということだ。

商社マンとして英語ができるというのは、今や当り前といえば当り前だが、四十すぎのサラリーマンにとって今さら英語の勉強をすることはきついことである。

英検二級の話がでたので、ちょっとふれるが、英検二級とれたから、英検一級とれたからといって、その人が英語ができるとはいえない。

英検一級をやっとの思いでとった女性は私にこう言っていた。彼女は帰国子女である。会話力はすぐれている。

「英検一級もってます、というと、わあすごい、英語できるのねえ、と羨望のまなざしでみられますけど、実際、できるとは限らないですよ。英検って意味ないと思う。実践的でないですよ」

というのは、英検一級の一次試験は大学の受験英語のようなテストで、これをクリアしないと二次試験にすすめない。二次試験になってはじめて会話のテストがある。しかし、この会話のテストは話せる人にとっては簡単そのものの内容。つまり、彼女がいうには、英検一級もっていても、通訳ができるほど英語ができると思ったら大まちがいということだ。

「信用ならないですよ。でも私は履歴書にかく時のために、一応とったのです。それでないと、いくら英語ができますといっても、面接官の人が、私の英語力を判断できないでしょ……」

日本人は資格が好きだ。考えてみたら、英語というのはコミュニケーションの道具でしかないのだから、単に通じればいいわけである。

英検二級とれなかったら昇進させないという発想は、名案ではあるが迷案である可能性もある。

それに、私はずっとそう思っているのだが、語学の才能とビジネスの才能というのは、まったくちがうものではないかと。両立するのは困難ではないか、と。いえ困難などという生やさしいものではない。まったく別なのではと私は思う。

もちろん、両方できる人もいる。しかしそれはまれなる才能の持ち主であって例外である。

自分ができないから言いわけするわけではないが、語学の場合ある程度勉強すればできるようになると考えることにむりがあるような気がする。これは逆の立場からみても同じだ。

ビジネスの能力は、一生懸命やったから、できるようになるというものではない。どちらもある程度まではできるようになる。しかし、それ以上は。

世の中には科学や地学や歴史が苦手な人がいるのに語学だけは万人の必須科目にしてしまうところに、問題があるような気がする。

仕事のできる男は英語なんかできなくていい。ある意味で私はこの考え方に賛成だ。だからもちろん、仕事のできる女は英語なんかできなくていい、ということになる。

しかし、悲しいかな、まだ社会は男女平等ではない。均等法ができたとはいえ女性に男性と同等の機会が与えられているわけではない。

会社の人事部の方がおっしゃる通り、女性も語学よりまず第一に仕事ができる人がほしい、これは本心だと思う。英語を生かしたい、と前面にだすより、かくしている女性の方に魅力を感じる。それも本心だろう。しかし、英語ができることがベースにある女性の方を望んでいるというのも偽らざる事実なのである。

NTTの人事部の方の話によると、我が社は女性を採用する時、英語力でとるわけではない、とはっきり言った。しかし、現にNTT本社に総合職として採用された女性に話を聞いてみると、彼女が採用された一昨年、総合職の女性九名採用されたうちの八名が語学科出身であるということだ。

語学だけできても困るといいながら、実際には女子には語学力を重視していることがありありとうかがえる。いや、意地悪い見方をすれば、文科系のお嬢さんをとれば、すぐに結婚退職してくれると思っているからかもしれない。ちょっと深読みかもしれないが。

ＮＴＴでは、海外在住の留学生の採用にも積極的にとりくんでいる。昭和六十一年から留学生を対象に日本で面接を行っているが、昨年からは、面接官が海外へでむいて採用にあたるという熱のいれ方である。

今年は数十名採用したいという。実際に採用となる人は男性が主だろうが、担当の人の話では「男女どちらでも、いい車だったらどっちでもかまわない」ということである。留学生確保にのりだした目的は、英語ができ、国際感覚のある人を会社が育てていられないから、できあがっている人を即戦力として使いたいからだという。また留学者には目的意識をもったしっかりした人が多いからというのがその理由だ。

今や留学生は金の卵。一時期、帰国子女は金の卵といわれたことがあったが、日本人全体の英語のレベルがあがった今、英語がしゃべれるだけではなく、英語で専門を勉強した人がほしい、ということなのだろう。留学する女性たちにも一流企業就職の窓口が開いた。これはいいニュースだ。しかし、次の瞬間、まてよ、という気持ちになった。

私は今回、この本を書くにあたり自費留学し卒業して帰国した女性たちの追跡調査を行った。私が調べた限りでは、アメリカの大学、大学院に留学した女性十名のうち日本の一流企業に就職できたという人は一人もいなかった。みんな就職には苦労していた。というのは日本企業は中途採用をほとんどしないからである。

あ。

ＮＴＴはずいぶん話がわかるんだなあ。結構、留学生をむかえてくれる企業はあるのかもしれない。それにしても、女子留学生で日本企業に採用された人の話をきかないなあ。

おかしいと思ってよく話をきくと、新卒の留学生ということだ。

日本では女性が留学するという場合、高校から即あちらの大学ではなく、一、二年社会にでてからというケースが多い。留学して帰ってくると、三十歳ちかくになっているのがふつうだ。結局そういう女性にはやはり就職するチャンスはないのだ。

企業も留学生を積極的に採用するようになったといっても、女性の場合、こおどりして喜ぶわけにはいかない理由がここにある。

＊

人気企業トップ10に、たえず上位に顔をだしている日本ＩＢＭ。外資系企業であるが、社員二万人もかかえると日本企業といった方が正しいかもしれない。現に会社の人も、ＩＢＭは、日本企業だという。ＩＢＭでは、日本語しか必要としない部署が沢山ある。

六本木のＩＢＭ本社にうかがった。広くてスッキリしたどこかのパビリオンにでもきたような受付。「広報の○○さん、お願いします」と私がいうと、「どちら様ですか」と聞かれるところ、いきなり「松原さまですね」といわれビックリ。ＩＢＭはかなり来客に対して徹底した教育がなされているようだ。

さすがに人気企業ナンバーツーの会社はちがう。椅子にすわってまっていると一人の女性が私の方に近づいてきた。広報の方かと思い名刺をだそうとすると相手にはその気配がない。

ＩＤカードをさしこむとドアが開いた。社員しか中に入れないようになっている。

私は彼女のあとにつづいた。

小部屋に通されると、数分後、広報の女性が現われた。さっき案内してくれた女性は、広報の女性の部下だったようだ。

私は女性と英語について話をうかがいたい、とあらかじめ文書で申し入れをしてあった。広報部では親切にも二人の女子社員に話をきけるよう準備してくれていた。

最初に取材に応じてくれた女性は、宮原亮子さん（三十一歳）。

「アソシエイト・コミュニケーションズ・リプレゼンタティブ」

差しだされた名刺にあまりにもカタカナが多いので、私は目を白黒させた。しばらく名刺をみていたが、私にはどんな仕事をしているのかイメージさえわいてこない。

ところで名刺よりおどろいたのが、彼女の服装と雰囲気だった。まっ黒に日焼けした肌にピンクの口紅。胸の深くあいたあざやかな紫のワンピース。金のアクセサリーが耳に手首に光っている。目のやり場にこまるほど派手な雰囲気の女性である。ロサンゼルスの街中なら別段びっくりしないが、ここは日本にある会社の中である。私は驚きのあまり、しばしぼう然とした。

彼女は本当にＩＢＭの社員なのだろうかと、うたぐりたくなるほどだった。

彼女が働いているところはアジア・太平洋グループとよばれている特別なセクション、四百名のスタッフのうち半数は外人というユニークな部署である。

彼女は私と日本語で話をしたが、本当は英語で話す方が楽だという。どうりで外人ぽいと思った。アメリカに九年住んだ経験があり、アメリカの大学院をでている宮原さんは、二世のようにみえる。

彼女は三年間国連に勤めた経験をもつ。二十八歳の時、日本に帰ることになった。日本に帰ったら何ができるだろうか。通訳でもやろうかしら。新しい仕事について考えている時に、たまたま、ＩＢＭが中途採用者を募集していることを知り応募した。ＩＢＭなら自分の語学力をフルに生かせるのではないかと思ったからだ。

「最初は報道に配属されたんです。でも日本向けの仕事でしたから、便利屋的な英語しかやらせてもらえませんでした。今の部署の仕事は全部、英語なんです。外国で働いているのと変らないんですよ。だから英語はＭＵＳＴです。英語ができないと仕事になりませんよ」

彼女は自分の能力を最大限に使うことができる現在の仕事に満足である。

「私の場合、英語をはずしたら何もないんです。英語はいつも使っていたいです。英語は自分のパート、私のアイデンティティなんです。英語をまったく使わない仕事をやる気はないですね。英語なしの自分なんて考えられませんもの」

宮原さんはれっきとした日本人である。しかし、本人の意識はアメリカ人のようにみえた。彼女にとって英語は単に特技ではなく、自分そのものなのである。そのことは彼女の服装がはっきりと語っていた。

次に遅れてもう一人の女性が入ってきた。藪田美恵子さん、三十歳。システムエンジニア。上智大学外国語学部フランス語科卒。

フランス語専攻ということは、英語はすでにペラペラということなのだろうか。

彼女はごくふつうの服装の女性だ。

「そういうわけではないんですが、英語をさらにやってもつまらないと思って。どうせならもう一ヶ国語やりたいと思ったんです。フランス語を選んだのは音楽的楽しみかしら。発音がきれいだからってこともありますね」

彼女も中途採用組。一九八七年一月入社した。

彼女は企業の中での英語の必要性をどう感じているのだろうか。私が尋ねると彼女は答えた。

「海外の営業と電子メールでやりとりするので、英語ができないとこまりますね。でも、ある程度できるぐらいでも用事はたりますよ」

いくら外資系とはいえ、すべて英語で仕事をしているわけではない。宮原さんのセクションは特別なのだ。

「でも、私はもっと英語が上手になりたいと思っています。すごく英語ができれば議論にたりうるでしょ。議論にたりうる英語ができるようになりたいわ。今の私の英語力だと、相手がどこまでわかってるのかなって感じで……日本のお客様相手なら日本語だけでいいけど、外人のお客様の場合は、相手を説得させるためにも話術、レトリックが必要ですね」

彼女は入社してから、語学力の必要性を痛感している。女性でも、キャリアをめざす場合、さらに上のポジションをえるには語学力が必要ということだろうか。

彼女は今年、休職してアメリカに留学するという。英語をブラッシュアップしたい。そのために最初の一年は、レトリック、ディベートのさかんな学校に通い、そのあと、大学院に進む計画だ。

あちらの大学院に留学するとなると、MBA留学ということか。私がそう思って質問すると、彼女は首を横にふった。

「たぶん言語学をします。うちの会社ではMBA留学はできないことになっているんです」

私はきつねにつままれたような気持ちになった。ビジネスウーマンがビジネスを勉強したいというのは当り前。どこの企業でも留学といえばMBA留学のことである。どうしてMBA留学はさせないのか不思議だ。

広報の女性がフォローした。

「うちの会社はMBA留学はださないことになっています。今年二名の女性が留学しましたが、言語学と社会学のマスターでした」

つまりはっきりとはいわなかったが、MBAをせっかく会社でとらせても卒業時点で会社をやめるケースが多いからだ。MBAをとれるような人は実力のある人。他の会社からヘッドハンティングされる危険性がある。MBAをとらせてあげて、あげくのはてに、他の企業にとられたら会社は大損。IBMだけでなく、他の大手企業でも、このことを警戒しているところが多い。

ある企業ではMBA留学させるが、卒業する数ヶ月前に社員をひきあげるという。卒業証書をもらわせないのだ。経験だけさせて、会社にひきもどそうというわけである。

こすいといおうか、日本企業のトップの考えそうなことだ。だったら、企業派遣留学させないで個人で留学しMBAをもっている人を雇ったらいいのに、と思うが、それはやりたがらない。海のものか山のものかわからない人をいれたくないからだ。それに、両者とも給料の点でおりあわないからだ。MBA取得者は一千万円ほしいといってもその人が三十歳なら会社としては三十歳の給料しかあげられない。その人だけ特別優遇するわけにはいかない。日本企業の中にはいろいろと理由がある。

藪田さんの言語学留学にケチをつける気はないが、休職してまで行く価値があるのだろうか。

「英語は単に道具です。英語ができても他の条件がみたされないとダメですよね。英語ができることより、論理的に日本語で説明できることの方が大事と会社側はみています」

広報の方はこう説明する。英語力はそんなに重要ではない。会社も本人もそう思っている。しかし女性は、どこかで英語にこだわる。

その証拠に、男子社員は休職して言語学やコミュニケーションを勉強するために留学しようとする人はいない。

ＩＢＭのように男女平等の会社であっても、仕事で男性と対等に勝負することはむずかしい。無意識のうちに、女性はどこかで英語を武器にもたねば勝てない、と感じているのではないだろうか。

私には、そんなふうに思える。

彼女が、という意味ではない。企業で働く英語ができる女性たちを見てきての感想だ。

企業側は、そろって、英語は武器になりませんよ、といっているが、女性の気持ちの中には、私の武器は英語だ、と思う気持ちがある。

英語ができるということは、仕事ができるということ以上に、その女性の自信につながっているように思えてならない。

＊

「私は英語ができます」

といっても、その程度を知るのはむずかしい。ある人は山口美江ぐらいしゃべれるかもしれないし、ある人は海外旅行で困らない程度の会話力でできると感じているかもしれない。

英文科をでているからといって英語ができるとは限らない。英語の文書は読めるが会話は苦手という人は英文科に結構多い。慶応大学の英文科を卒業した女性に話を伺ったら、英文科とはいえ授業は全部、日本語だということである。文献も日本語で勉強することが多い。英文学の歴史を勉強する場合、それを原書で読むのではなく、〝英文学の歴史〟という日本語の書物を読むということだ。私は、英文科というところは、英語であけくれているところだとばかり思っていたので、卒業生から話をきいた時はかなりショックだった。英会話や英語でディスカッションするのはゼミのクラスで、それをとらない人は、しゃべる機会なく卒業することもあるという。

私は英語のできる女性たちが、どんな会社に就職し、どの程度英語を生かしているのか、また、英語について、どう考えているのか知りたいと思った。

全体を知るためにアンケート調査を行った。最初、慶応、青山、上智などの英文科を卒業した女性にアンケートを送ろうと思ったが、英文科卒とはいえ英語ができるとは限らないとわかり、対象をかえた。そこで、帰国子女（小学生から中学生にかけて英語圏で三年以上、現地の学校に通ったことがある）に焦点をあててみることにした。

現在、二十四歳から二十七歳の帰国子女、三百名にアンケート用紙を送った。回答者は九十九名。そのうち五名が英語圏からの帰国子女ではなかった。回答率三三パーセントと非常に高い回答率をえることができた。これは彼女たちの英語に対する関心の高さの反映だ。

数字をだす前に、一言ふれておきたい。帰国子女といっても、滞在年数、その人の能力によって英語力の差はある。しかし、一般的に人並以上に英語、特に会話はできると判断してよい、と私は考える。多少のバラつきはあっても「英語ができる」というグループにいれることに無理はない、と判断した。サンプルは帰国子女を積極的にうけいれている高校にお願いし、協力していただいた。

まず職業別にみてみると、次の通りだ。

日本企業(そのうちメーカー一五名)	四四
外資系企業	二〇
会計事務所、政府機関など	七
幼稚園、ピアノの先生など(英語以外の先生)	七
フリーの翻訳、通訳	五
英語教師	三
専業主婦	九
学生	二
公務員	一

無回答　一

外資系企業に就職している人で、英語を十分に生かしていると思う人、十五名、外資だから当然といえば当然だが、少しだけ生かされている人をあわせると二十名中十九名が、英語を生かしていると答えている。残りの一人は会社に自分の英語力が利用されていると感じている。

英語ができる人、英語力に自信のある人が外資に就職しようとするのは当然の選択だろう。二十名中七名ははっきりと自分が帰国子女であったことで会社に優遇されていると感じている。

次に日本企業に勤めている人をみてみよう。英語を十分に生かす仕事をしていると答えた人、わずか五名。少しだけ生かされていると答えた人、二十二名。会社に利用されていると答えた人五名。なお少しだけ生かされていると答えた人の中にも会社に利用されていると感じている人は五名いた。英語に関係ない仕事についているので不満であると答えた人七名。わからないを含め、英語に関係ない仕事についているが不満ではないと答えた人は三名だった。

結果をみての私の感想は、英語そのものを生かすプロの仕事（翻訳、通訳）、英語教師という堅い仕事についている人が少ないということである。

日本企業に勤める女性、四十四名中、帰国子女でよかった、帰国子女であることで優遇されている、と感じている人は八名。つまり現在英語を使う部署に配属されている人たちだけが、そう感じている。他の三十六名は、特に優遇されていない、関係ない、と答えている。ということは、企業は女子社員に英語力など求めていない、ということができないだろうか。

次に日本企業に勤める人たちに、これから職場で帰国子女の立場はどうなっていくか聞いてみた。この質問は「帰国子女」というひとつのわくにいれられた特別な人たちという意味ではなく、「英語のできる女」の代表として、とらえてみたいと思う。

ひと昔前とちがい、最近は、帰国子女だからといって、特別視されることは少なくなっている。英語のできる女は、英語がこれからも武器になっていくと思っているのだろうか。英語ができるということは、女性にとって有利なのだろうか。

これらの質問を彼女たちになげかけてみた。返ってきたアンケート用紙には、彼女たちの気持ちが綿々とつづられていた。全体の半数以上の人が、余白に書ききれないほどビッシリと自分の考えを書いてくれた。なかには、たりなくて裏面まで書いてくれた人もいた。

英語が彼女たちにとって重要な問題であることを私はアンケート用紙からヒシヒシと感じた。

アンケートの中からいくつかを紹介したい。

商社勤務の二十四歳の女性は次のように言っている。

「女性が社会進出するうえで、教養は必要不可欠なもの。英語は教養のうちのひとつです。ますます日本は庶民レベルでも国際化してきているのですから、英語は当然『プラスアルファー』になると思います」

メーカー勤務の二十七歳の女性は、

「これからは英語ができるのは当り前です。もう英語ができるだけでは何のメリットにもならないでしょう。もし外国語で勝負するなら英語以外の外国語だと思います。他の外国語なら人より一歩先で活躍できると思います」

一方、他の外国語のできる英語圏からではない帰国子女は逆に次のようにいっている。

「英語圏からの帰国子女ならよかったと思った。私の場合、ドイツ語なので生かせる職場が少ない。語学のレベルもかなり高度でないと就職等に生かせることは難しい気がする。私自身、もっと英語を身につけておけばよかったと後悔しています」（二十六歳、商社勤務）

英語のできる人は他の外国語ならひく手あまただろうと思っているが、一方、他の外国語のできる人は英語ができたらと思っている。

つまりこういうことなのではないだろうか。言葉で勝負するなら、英語と他の外国語の両方ができなくては売り物にならない。もしかしたら語学ができるという時それは三ヶ国以上を意味する時代なのかもしれない。

先に伺ったNTT、NECなどでも、耳なれぬ「トリリンガル」という言葉を耳にした。トリリンガルとは三ヶ国語を母国語のようにしゃべれるという意味である。バイリンガルはもう当り前。武器にはならんよ。これからはトリリンガルだよ。企業がほしがっているのはトリリンガル。それもドイツ語やフランス語という先進国の言語ではなく、タイ、中国、ポルトガル語。

外国語ができるということを売り物にする場合のメリットは、希少価値にある。できない人が多いから、できる人の価値が高くなる。英語は、庶民レベルのものにまで広がりすぎてしまった。と同時に、価値もおちてきたといえる。

帰国子女の中には、自分たちの立場に危機感を感じている人もいる。銀行員、二十四歳の女性は、

「帰国子女でなくても、学生時代に留学をするなど、海外での経験及び英語の能力をもった人がどんどん増えている今では、帰国子女だからといっていられません。これからはその人の総合的な能力が問われてくると思います。そういう面で、今までより立場としては厳しくなってくるのではないかと思います」

英語ができるからとうかうかしていられないことを語っている。

これからは英語ができるだけではダメだ、とはっきりと答えた人は多かった。

外資系企業に勤める二十六歳の女性。

「今でも日本人の英語力は低いとよくいわれています。しかし、それでも三十年前と比

べれば、かなり向上しているのではないかと思います。英語を使わない仕事についている人でも英語が好きで勉強している人は沢山いると思います。そんな中で英語のプロになるのはかなり大変なことではないでしょうか。これからの時代は、英語はできて当り前。その他に何か一つでも他の専門知識（政治、経済、法律など）がないと社会進出は難しいでしょう。これは女性に限らず男性についても言えると思います」

人材派遣会社に登録して働いている二十五歳の女性も同じ意見だ。

「ただ単に語学ができるというだけでは、全然使ってもらえないと思う。語学はあくまでも一つの手段であって、仕事ができるかどうかが問題になるのではないでしょうか」

中には、帰国子女という自分に甘んじたことを反省している人もいた。彼女たちは正直に自分の気持ちを書いてくれたが、同じように感じている人は少なくないのではないだろうか。

外国の航空会社勤務の二十五歳の女性。

「特に英語（語学）が好きというわけではなかったのですが、帰国子女ということで道がある程度決まってしまったような気がします。安易な方向へと流されてしまった私自身にも、もちろん問題はあるのですが……」

また同じく外国の航空会社に勤務する二十五歳の女性はこういっている。

「職場の同僚のほとんどが帰国子女または留学経験者ばかりという変った職場です。英語が当り前という会社なので第三ヶ国語、またはその他に何か特技がないと平凡でかたづけられてしまうところです。英語さえできればと帰国後何もやってこなかった私には、自分の不勉強を身にしみて考えさせられます」

二人とも語学系の大学出身である。語学のできる帰国子女は大学を選ぶ時に英文科、外国語学科などの語学系に進む人が多い。今回のアンケートでは、九十九人中半数にあたる五十名が語学系大学出身だった。

英語は人以上にできるのだから、大学では他の専門を勉強した方が、将来いい仕事につけるのに。それこそ鬼に金棒であったはずだが、語学のできる人はどこまでも語学にこだわる人が多いようだ。

これからは日本企業に就職するにしても、語学ができて、しかも専門をもっていることの両方が要求されるのではないだろうか。英語を職場で使う、使わないということに関係なく、〝英語ができる〟という下地は必要であろう。

カメラメーカーに勤務している二十四歳の女性はこういっている。

「語学はあくまでもコミュニケーションの手段であり、仕事の手段であって、仕事そのものではありません。私は英語の便利屋にはなりたくなかった。自分の専門を持って、それを語学と組み合わせて自分の能力を発揮することによって、何らかの道のエキスパートになりたかった。だから大学で法律を学んだのです」

彼女はまだ入社して一年目。会社で専門を生かしているとはいえない。しかし、彼女のコメントを読んでいると、彼女の心意気もわかるし考え方もまちがっていないと思うが、彼女の思い通りに企業で法律を生かせてくれるかどうかは疑問という気がしてくる。

彼女は外資系企業に就職しなかった理由についてこう語る。

「ある外資系企業の説明会へ行ったところ、英語力はあまり期待していない、君たちには日本人であってほしい、外資系企業は日本でビジネスをしているのだからといわれました。外資系企業は日本に目を向けているのだということがわかったので、逆に外国へ目を向けており語学のできる人を求めている日本企業へ就職することにしたのです」

私はアンケートを一枚一枚読みながら考えてしまった。

英語ができるって何なのだろう。英語ができない人の方が、英語にとらわれなくていい分、仕事に熱を入れることができるような気がする。

英語は確かにできないよりできた方がいい。しかし、本当は、その程度のものなのではないだろうか。英語ができることで自分は特別人より秀れたものをもっているとか、特技であると考えることがまちがっているのかもしれない。

いや、やっぱり英語ができることは認めるに値することだ。それは特技だ。

いいえ、もしかしたら、特技と思う人にとっては特技であり、そう思わない人には何でもないものなのかもしれない。

ただいえることは、ひと昔前とちがい、英語を使う職業が高い仕事ではなくなったことだ。スチュアーデスをみてもそのことはわかる。昔、女性の仕事があまりない頃、スチュアーデスという仕事は英語のできるインテリ女性の象徴であった。今や、スチュアーデスは、配膳係とまで呼ばれているほどだ。

時代は明らかにちがってきている。女性の仕事も二十年前、十年前、いや五年前と比べただけでも、職域が広範囲になった。

語学が女性の武器となった時代もあった。しかし、男女の雇用が平等化する時代で、語学を武器にしようというのは時代遅れなのかもしれない。

武器にカバーをかけ携帯する。もってはいるのよ、というところは見せる。しかし、刃は見せない。仕事は素手で男たちと勝負する。そして必要な時に袋から武器をとりだしチラチラさせる。

そんな時代がきているのかもしれない。

いつまでも英語にこだわっている女性は自分の首をしめかねない。しかし、それでも、英語にこだわりつづける女性は多いのだ。

NTTに勤務する二十五歳の女性は私にこう言った。彼女はやはり帰国子女で大学の留学経験をもつ。

「入社して二年間は営業の窓口やらされるんですよ。私の場合、今年が二年目なので、そろそろ辞令がでる頃なんです。希望は国際部なんですが、どこにまわされるか心配です。英語の使えない部署にまわされたらショックだわ。その時ですか、まだわからないけど、やめるかもしれません」

彼女は留学から帰ってきてからもずっと英会話スクールに通っている。ニューズウィークは必ず買う。現在、英語をまったく使わない仕事についているが、一日に一度は、英語に接するよう努力している。

英語は彼女の基本で捨てられない、ときっぱりという。結婚する場合も、英語ができる男性が条件だという。

「共通になるものとして英語がないと結婚はしません。どんなにステキな男性でも」

親も彼女が英語を使うことを望んでいるという。彼女の名前はケイという。両親は外人が呼びやすい名前ということでこの名をつけた。

「親に商社マンか銀行マンと結婚しろっていわれるんですよ。海外にいく人としなさいって。外人でもかまわないって。私もそう思ってます。会社の人ですか？　いやだ。NTTマンとだけはする気ありません。お給料が安いし、外国へ転勤する可能性もないので」

英語にこだわる女性の裏に、娘に英語をやらせたい親がいる。

第四章　スペシャリストのため息

サイマルアカデミー、通訳者養成コース案内と募集要項を読んでみると次の通りだ。

サイマル通訳教室以来、定評ある同時通訳者への登竜門です。先進国首脳会議をはじめ、トップレベルの国際会議で活躍しているわが国最高の第一線通訳者たちが直接指導にあたり、教材には最近の国際会議からのテープやテキストが多く使われます。……現在、サイマル・インターナショナルの第一線同時通訳者の半数以上は本コースの卒業生がしめ、うち二名はサミットでも活躍しています。

基礎科カリキュラム構成

1　会議通訳基礎

Repeating, Retention, Logical, Analysis, Summarization などの通訳技法の基礎となる分野の反復訓練。
2　逐次通訳
メモの取り方から、かなり進んだ逐次通訳〈英→日〉〈日→英〉まで。
3　Sight translation
4　時事英語
5　国際教養講座
本科カリキュラム構成
1　会議通訳基礎
2　逐次通訳
最近の国際会議からの教材を使った本格的逐次通訳訓練。
3　Sight translation（逐次および同時）医学など専門分野のテキスト付通訳を含む。
4　同時通訳
5　国際教養講座
基礎科――月・水（週4時間）、授業料（前期19週）、二十万円。
本　科――月・木（週4時間）、授業料（前期19週）、二十五万円。
（一九八九年四月コース募集要項より）

サイマルアカデミーは、英語のプロをめざす人たちの登竜門である。サイマルといえば、同時通訳。同時通訳といって、思いだすのが大阪万博の時だ。私は太陽の塔の下でたくみに英語を使っていた鳥飼玖美子さんの姿を今でも忘れることができない。

それほど彼女のデビューはインパクトがあった。

私も鳥飼さんのように英語がペラペラになりたい。外国人を相手に通訳する仕事ってなんてステキなのだろう。これこそこれからの仕事だわ。

彼女の華麗な姿をみて、英語のプロになる志をたてた女性は少なくなかったはずだ。

それまで、女性の職業といえば、学校の先生、看護婦、美容師、だいたい相場が決まっていた。これらは高度成長の中で育ってきた女性たちにとって、決して魅力的な職種ではなかった。そこへ、通訳というオシャレでインテリな響きをもつ職業が、出現したのである。断っておくが通訳という職業は昔からあった。しかし、一般レベルの女性たちにあなたもなれるという希望を与えたのは、万博の時だった。

サイマルは、万博の時に設立され、それ以来、英語のプロたちを、どんどん世の中に送っている。サイマルに通ってます、サイマルにいってたんですよ、と聞くと、私は、それだけで尊敬してしまう。サイマルは英語をマスターすることのできなかった私にとって葵の御紋のようなものである。

サイマルの卒業生だけでなく、年々英語ができる女性は増加している。通訳ができる女性も多い。しかし、一口に通訳といっても、プロと呼べる人はどのくらいいるのだろうか。

私も、アメリカから帰ったばかりの頃、ある出版社から通訳を頼まれたことがある。本当は自信がないのでやりたくなかったが、プライドがじゃまして断れなかった。黒人のかわいい男の子のタレントが来日した時で、彼のインタビューをさせられた。

「何が好きなの？」

「いつも何して遊んでるの？」

私はインタビューが終ってからホッと胸をなでおろしたものだ。相手が子供でよかった。もし、相手が大人で経済の話でもされたら、アーウーといってなければならないところだった。私はなんとか、その場をごまかすことができたが、金輪際、通訳はやるまいと心にちかった。アメリカに留学してたからといって、プロとして通訳ができるわけではない。アメリカ帰りの私は、英語が人よりできると自負していたところがあった。本当は実力なんかないのに。にがい経験だった。

ちょっと通訳するのは簡単だが、通訳で食べるのはむずかしい。

さて、それでは英語のスペシャリストとして、文字通り英語で食べている女性は、英語についてどう受けとめているのだろうか。

英語のスペシャリストになるということはどういうことなのだろうか。

*

昨日、スイスから帰ってきたばかりだという同時通訳者の女性に会った。

金丸ミエさん、三十一歳。彼女は国際会議などをこなすトップレベルの通訳者である。彼女を紹介してくれた人の話によると、英語ができる人たちは変っている。彼女も変ったところがあるので取材に応じてくれるかわからない、ということだった。

しかし、その心配はよそに、電話口にでた彼女は感じがよかった。

外見や態度が外人ぽいということなのかしら。

そんなことを考えながら、私は金丸さんが指定した新橋の居酒屋で、彼女が現われるのを待っていた。

はまちの刺身、焼きなす、ジャガイモバター……外人ぽい女性と話すには、似つかわしくない場所だ。

一人の女性がのれんをわけて入ってきた。私ははじめ、彼女が私の待っている人だとは思わなかった。

同時通訳、国際的な仕事をしているというイメージから、私はどこかきどった女性を想像していたからだ。

ところが、私の目の前に現われた女性は、小柄でOLタイプ、言われなければ彼女が英語の達人とはとても思えない、そういう感じの人だった。

私は英語が堪能な女性は、どこか外人ぽくて、きどっている、という固定観念をもっていた。英語のできる女性は態度まで外人女性みたいになってしまうのは不思議だが、そういう女性は案外多い。英語をしゃべっていると白人になったような気分になってしまうらしく、ちょっと上から人をみるようなところがある。

しかし、私のとなりにすわった金丸さんはそんなところはみじんも感じられなかった。私はつい「あなたは本当に英語がペラペラなんですか。すいませんが、ちょっとしゃべっていただけませんか」といいそうになってしまった。

彼女は名刺をだすと、「どうぞ質問して下さい」といきなり目的に入った。名刺には「同時通訳者、金丸ミエ」と書いてあった。

私はあわててノートをとりだし、お酒を味わうひまもなくメモをとりはじめた。

金丸さんは父親の仕事の関係で九歳から十四歳までイギリスですごした。いわゆる帰国子女である。九歳から十四歳というと、一番吸収力のある時期である。

「私、日本語で考えるより英語で考える方が楽なんです」彼女は首をすくめた。

帰国後、高校はインターナショナルスクールへ、大学は国際基督教大学に進んだ。

彼女は大学時代から同時通訳者になろうと思っていたわけではなかった。

「大学を卒業する時、特にこれという仕事が思いあたらなかったので、とりあえず大学院にすすんだんです。でも大学院に入ったらこれ以上アカデミックな勉強するのが嫌になってしまって」

大学院を中退。しばらく家でブラブラしていると両親にどなられた。「何か仕事をしたらどうなの」

実は彼女は得意の英語を利用し学生時代からずっと通訳のアルバイトをしていた。

「通訳ってお金になるんですよ。私、学生時代で月に二十四万円から二十五万円ぐらい稼いでいたんです。それで、てっとり早いので、通訳になろうと思ったんです」

アルバイトで月二十五万円の収入。新卒で就職する気になれないはずである。

しかし、英語がペラペラだからといってプロとして通用するわけがない。

しかしプロの通訳者になるには、それなりの勉強をしなくてはなれない。アルバイトで一回こっきりの仕事をしているのとはちがう。プロをめざした彼女は当然のごとくサイマルアカデミーに入学した。サイマルの通訳養成コースには基礎科と本科がある。彼女は基礎からやりたいと思ったが、テストの結果がよかったので本科にいれられてしまった。

彼女にいわせれば英語の能力しかみられなかったからだという。

彼女はテレながら言った。

「実は私、漢字の勉強をはじめたの、十八歳になってからなんです。日本の新聞を読むようになったのも十八歳から。今まで英語では一度も苦労したことないですけど、日本語には本当に泣かされました。日本語で自由に表現できるようになったのは、ほんのここ二、三年なんですよ」

彼女の場合は極端かもしれないが、バイリンガルとはいえ、日本語も英語も両方できるとは限らない。たとえ両方同じぐらい話すことができても、言葉の意味を理解できなければ決して相手に伝えることができない。

翻訳の場合、英語の読解力より日本語の文章力といわれているが、通訳の場合も、かなり高度な日本語の理解力と表現力が必要になってくる。

帰国子女や留学帰りの女性が、意外にプロの通訳者になれないことでもそのことはわかる。

通訳者になりたいと思い、サイマルに通い途中でやめたというバイリンガルの二十五歳の女性に話を聞いたことがあるが、その時、彼女はやめた理由についてこう言っていた。

「同時通訳者になるには、お金も時間もかかるんです。だからあきらめました」

言いかえれば学校に入ってみたら、プロへの道の険しさを前にギブアップしたということになる。世間ではバイリンガル、英語がペラペラで通っていても、通訳のプロになれるとは限らない。その女性と同じように、プロの通訳者になることをあきらめる女性は結構多い。

サイマルアカデミーには、英語のプロになることにあこがれて応募してくる女性が後をたたない。ミーハーもかなりくる。もちろんそういう人たちは、入学テストでふるいおとされる。

しかし、入学できたからといって、みんなが卒業し、プロになっていけるとは限らない。サイマルの人の話によると、通訳養成コース、本科を卒業して通訳者になれる人は毎年五名ほどであるということだ。たった五名である。この数字は当アカデミーができた当時から変らない。

つまり、年々、英語ブームで英語学習者層は広がっているが、本当の意味で力のある人の実数は増えていないということになる。日本人の英語レベルは十年前、二十年前に比べ比較にならないほど向上した。それにともない英語を仕事にしようとする人たちも増えている。しかし、英語のプロとして活躍できる人たちの数は決して増えていないのだ。エキスパートになれる人は、いつの時代もひとにぎり。医者や弁護士と同じで、プロと名のる人は多いが、本当の実力のある人の数は、今も昔も変らない。そういうことなのである。

どの分野でも、エキスパートになることは至難のわざである。

それなのに英語のプロをめざす人が多いのは弁護士や医者になるのとちがって、誰でもできそうなところがあるからだ。弁護士になるより、英語のプロになる方が、簡単なように思える。女性にとって特にそう思える。それに、弁護士になるには司法試験という、プロとアマを区別するはっきりした境界線があるが、英語のプロになるには司法試験のような、はっきりとした境界線になるような試験がない。だから、バイリンガルの女性は、バイリンガルというだけで、自分は英語のプロになれると錯覚してしまうのだ。

小さい時、両親の転勤でアメリカに行った。小学校から中学までアメリカの学校に通った。最初の一年は、まったくしゃべれなかったが、そのうち自然に英語をマスターした。もちろん本人の努力もあるが、小さければ小さいほど、英語ができるようになるのは簡単だ。ある日、気がついたらバイリンガルになっていた。私はバイリンガル。通訳者だったらいつでもなれるわ。そう思いがちである。もちろんアマの通訳者、ある程度の便利屋的通訳者にはなれる。しかし、プロとなると話は別だ。

プロの通訳者は必ずしも外国生活体験があるとは限らない。

私が後日会った三十歳の女性は、人材派遣会社に登録する通訳者だった。年収一千万円は軽く稼ぐという彼女は、留学した経験もなかった。英語を勉強するにはなにも外国にいかなくても日本で十分にできる。彼女は東京にある通訳者養成学校で学び、現在、立派にプロとして活躍している。

私が今さらいうまでもないことだが、英語のプロ（通訳、翻訳）であるということは、裏がえせば、日本語のプロということになる。つまり、いくら英語だけがしゃべれても、基本的な頭の良さ（読解力、理解力、判断力など）がなければ、英語のプロにはなれない。

よく、世間では、バイリンギャルは頭が悪いと決めつけている人がいる。バイリンギャルの中にも、そう思われていることにイラダチを感じている人もいる。私が思うにバイリンギャルは英語ができるが、頭が悪いのではなく、頭が悪いと思われているバイリンギャルは、もともと頭がよくなかったということではないかと思う。バイリンガルと頭の良さは何の関係もない。しかしバイリンギャルの中には、バイリンガルを自分の特技と思うばっかりに、他のことに努力しない人が多いので、バイリンギャルは頭が悪いとみられがちなのだ。

金丸さんはその日本語に苦労した。人の十倍も二十倍も勉強した。サイマルのクラスは、一クラス二十五名だったが、一年後には、半数に減った。卒業時は五、六名になってしまった。

サイマルでは学校を運営すると同時に、人材派遣会社も行っている。希望者には、仕事を斡旋してくれる。すなわち、サイマルでいい成績をおさめることは、通訳者としてのプロの道も開けるということになる。

金丸さんも人材派遣会社に登録し、同時通訳の勉強をしながら仕事をはじめた。

彼女は当時を思いだしながら話してくれた。

「最初のうちは登録しても、いい仕事はぜんぜんまわってきませんでした。ちょっとうんざりしました。だって、いい仕事はみんな、大使令嬢とか外交官のお嬢さんにいっちゃうんですもの。その頃、同級生には、そういうお嬢さまが多かったんです。私なんか、ただの商社マンの娘でしょ。一番最後に残った仕事がまわってきたのよ。今はそんなことないと思いますけど」

どの世界もコネが必要。彼女は痛切に感じた。それでも仕事をこなしているうちに多重放送の翻訳、政府関係の団体の通訳の仕事などまわってくるようになった。その時の通訳料は一日一万二千円だった。彼女がこの年に働いた日数は、一年間で八十日。収入は百万円だった。その中から授業料約五十万円を払っていたわけだから、彼女にとって厳しい毎日であった。

はやく一人前のプロになり独立したい。彼女はあせった。それには、企業や政府とのコネが必要だ。彼女は、目先のおいしい仕事よりコネづくりに精力を注ぐことにした。人材派遣会社からくる仕事はどんどうけて人脈をつくることに心がけた。

サイマルに通いはじめてから四年目に、彼女は独立した。人材派遣会社にたよらなくても、個人で仕事がとれると判断したからだ。

「企業や政府から電話がかかってきて、注文の電話待ちですよ。フリーになりたてのころは家にいるのがこわかったですよ。電話がならないということは、仕事がないということですからね」

今では、スケジュール表に余白がないほど仕事の注文が入っている。ところで気になる収入の方だが、通訳料というのはどのくらいなのだろうか。

彼女が人材派遣会社を通して働いていた頃の通訳料は一日一万二千円だった。現在では、同じ仕事が二万円ぐらいだということだ。サイマルを卒業したフリーの同時通訳者はどのくらいもらえるのか、興味のあるところだ。

金丸さんを私に紹介してくれた人の話によると、彼女は毎月百万円ぐらいは稼いでいるということだった。本当なのだろうか？

私が「と、友達がいってましたけど、本当なんですか」と聞くと、彼女はうれしそうな顔をした。

「ええ……私は今、Aランクの通訳者なんです。通訳にもAランクとBランクがあるんですよ……」

Aランクというのは、国際会議の同時通訳ができ、しかも絶対ミスをしないレベル。つまり、通訳者としては最高レベルということである。

AランクとBランクとでは、もちろん報酬もちがう。

Aランクの場合の通訳料は、一日九万円、半日で六万円。Bランクの場合は、一日七万円、半日四万円ということである。

一日九万円というのは、仮に一ヶ月に十日働いて九十万円の収入ということになる。現在の彼女の収入が、一千万円を軽くこえているというのも、うなずける。

「英語はお金になりますよ。通訳者になってからの私の収入は倍々よ」

一九八四年、年収百万円。翌年一九八五年、二百万円。一九八六年、四百万円。一九八七年、八百万円。一九八八年、一千万円突破！

私が感心して聞いていると、彼女は言った。

「年収四百万円までは、誰でもなれるのよ。でもそのあとが問題。あとの飛躍は、専門分野の知識がないとダメね。専門を勉強しないと、一千万円以上とる通訳者にはなれないですよ。つまりプロとしては通用しないということよ」

専門分野といっても、ひとつの分野のことではない。同時通訳者の仕事の舞台は主に国際会議の席上である。国際会議は、いつも英語で行われたとしても、テーマは同じわけではない。経済、医学、科学、農業……話し合われるテーマはその時によってちがう。

プロの通訳者は、どんなテーマの国際会議でもこなせなければ一流とはみなされない。もちろん仕事は選べるが。

私はコンピューター関係の通訳だけやりたいといえばそれは可能である。しかし、専門を限っていたら、お呼びも少ない。しまいには、お呼びがかからなくなるという危険性があるというのだ。

「通訳者の需要は経済の動きと大いに関係があるんですよ」

彼女は語る。

今は金融業界が注目されている。だから金融関係の国際会議が多い。しかし、ちょっと前までは太陽エネルギーが注目されていた。その時は、エネルギー関係の国際会議が目白押し。そうこうしているうちに人々の関心がコンピューターの方にいった。太陽エネルギーの会議はウソのように姿を消し、コンピューター関係の国際会議ばかり。国際会議は時代と共にその内容も変る。通訳者もひとつの専門に頼っていては、仕事がこなくなる、というわけである

英語ができて、さらに日本語の理解力も語彙も豊富で、あらゆる専門にたけていなくては、第一線の通訳者にはなれないのである。

私は改めて、プロの通訳者になる道は厳しいことを痛感した。

彼女は笑った。

「医学の国際会議ばかりという年もありましたよ。ホラ、制ガン剤のことがクローズア

ップされたころ。ガンの学会ばかり。おかげでガンにくわしくなりました。通訳者ってオールマイティでないとできない仕事なんですよ。英語と日本語がパーフェクトだけでもダメなんですよ」

私は今まで通訳という仕事をひとくくりにしてみているところがあった。通訳と聞くだけで、英語を日本語に、日本語を英語になおす翻訳機みたいなもの。観光案内、国際会議、内容や技術の差はあるにせよ、原点は同じ、所詮、言葉ができれば、あとはなれでできるもの。私は心のどこかで、そう決めつけているところがあった。今、私は、その発想が安易であったことを深く反省した。

専門用語をひとつ覚えるにしても、専門にたずさわってない人間にとって、非常にむずかしいことである。金丸さんは、新しい分野の国際会議の仕事が入ると、必ず専門書を一冊読んでみるという。

彼女は笑いながら言った。

「私、本当は日経新聞、嫌いなんです。でも日経とっているんですよ。今、金融関係の会議が多いんですよ。日ごろから経済勉強しておかないと、なかなかすぐってわけにはいきませんからね」

年収一千万円以上をとるようになってからの彼女の仕事はハードだ。

彼女のむこう一ヶ月のスケジュールは次の通りである。

来週から五日間、パリへ、免疫学会の通訳のために飛ぶ。帰国してから三日間、名古屋で行われる都市計画の会議の通訳をする。翌日は都市銀行の社内で行われる会議の通訳をすることになっている。そのあと二日間は、日経連の通訳を。そして一日休んで次の日、二週間の予定で情報処理会社の国際会議の通訳をするためにオーストラリアへ飛ぶ。彼女のスケジュール表はまっ黒である。しかし通訳とは、能力もさることながら体力がいる仕事だ。

金丸さんは小柄だが、よくみているとよく食べる。こうでなくてはやっていけない仕事なのだろう。

「私って探究心が旺盛なんですよ。好奇心が強いっていうか……一回、一回、新しい分野の仕事が入ってきても、人が思うほど苦にならないんですよ。この仕事をしていて、何がおもしろいかって、いろいろな世界をかいまみられることですね。通訳でもしてなければ、興味のないコンピューターの本なんか読みませんよ」

経済の動きにあわせて柔軟に仕事をこなしている金丸さんだが、そんな彼女にもヒヤリとしたことがあった。

「円高がはじまった頃です。日本経済が一時おちこんだことがあったでしょ。あの時、国際会議が香港にうつったことがあるんです。東京で会議を開くと高くつくからという理由でね。重要な会議はみんな香港でなんです。あせりましたよ。どうなることかと。結果的には、割高でも日本でやらざるをえなくなったからよかったけど……でもわかりませんよ。これからも、日本の経済が冷えたら日本で国際会議はやらなくなるでしょうから」

通訳という仕事は、あくまでもサブの仕事である。自分で主導権をとることはできない。本体あっての通訳の仕事である。通訳の仕事が前面にでたり、注目をあびたり、人を動かしたり、影響を与えることはない。きわめて重要でまちがいを許されない高度な仕事であるが、本体あって、はじめて仕事としてなりたつのである。まったく国際会議がなくなるということは考えられないが、本体の風向きにより仕事がなくなる（少なくなる）可能性はこれからもありうるわけだ。その辺についての不安はないのだろうか。

彼女は笑いながら答えた。

「それは今のところないです。それより、そのうち自動翻訳機が発達して、通訳者がいらなくなったらどうしよう。その方が不安です。でも、私が働いている間にはそんなに優秀な機械はできあがらないと思うから安心してるの。それに機械を作るより、人間をつかった方が安あがりだし。だからまだまだ仕事はあると思うわ」

彼女は話を続けた。

「通訳者で一番大事なことって集中力と好奇心だと思います。語学力が大事って思っている人が多いけど、それ以上に集中力の方が大きいわね。だって通訳やる人間にとって英語がペラペラなのは、当り前のことでしょ。通訳って、たたみやさんみたいだと思うの。毎日毎日やってないとさびつく仕事なんですよ」

彼女は取材の中で自分の仕事を何度もたたみやさんという言葉で表現した。私はふと思った。英語のプロはたたみやさんや大工さんと同じ。本当のたたみやさんは男性が多いが、通訳というたたみやさんは、女性ばかりだ。なぜだろう。

それについて彼女は次のように答えた。

「通訳者に女性が多いということは、通訳という仕事が不安定な仕事だからだと思います。女性の方が不安定な職業でも甘んじられるんですよ。男性は一家を養わなければならないでしょ。いくら英語が好きでも男性は通訳という仕事を選ばないのよ」

私は彼女の口からてっきり、女性の方が言語能力がすぐれているからという答えが聞けるものだとばかり思っていた。男性は女性にくらべ英語が苦手だという特性の問題ではなく、不安定な職業だから、なり手がないという見方は、私にとって発見だった。

彼女は通訳という仕事を単にフリー稼業のひとつとしてとらえている。インターナショナルな仕事だ、やりがいがある、インテリな仕事だからというのではなく、効率よく稼げる自由業のひとつとわりきっているようだ。

英語のプロまでなれる人は、英語の響きやかっこよさにとらわれていない。彼女と二時間ちかく話していたが、みごとなくらい、会話に横文字が入ってこなかった。

私も注意しなくてはと気をつけているが、英語のできない人に限って、話の中に英語がまじるものだ。

「話の中に英語がミックスアップするでしょ」

というように。

金丸さんは会話に一度も英語がでてこなかった。

彼女は通訳のプロとして自信をもって仕事をしているようにみえる。彼女は言った。

「なんでもトップにならないとダメですね。Bランクの時は、嫌な仕事でも断れませんでした。Bランクなのに、もし断ったら、生意気だなんて、次の仕事がこなくなるんじゃないかしらって……Aランクになってからは相手も認めてくれるので、はっきり自分の要求をいえるようになりましたよ。飛行機もビジネスクラスにしてもらっているし、ホテルも一人部屋とってもらっています」

通訳者となって今年で七年目。来年の収入は倍々で二千万円ぐらいになっていることだろう。

私は最後に彼女に、ずっとこの仕事を続けていくつもりか、聞いてみた。

もちろん、イエスという返事がくるものと期待していったのだが、意外にも、ちがう答えが返って来た。

「この仕事ってとっても集中力を必要とするんです。頭の回転が早くないとできない仕事なんです。五十になった時、今のペースで頭がまわるかな、それは疑問だと思うんです。通訳という仕事はいつまでもできる仕事じゃないですね」

彼女はひと息つくと言った。

「四十歳になったら、少し将来について考えなくてはと思っているんですよ」

「で、そのあとはどんなことを考えているんですか」

私にはこんなに高度な技術をもち、しかもAランクの彼女が、転職するとは考えられない。

彼女は静かに答えた。すでに将来の方針は決まっているようだ。

「もし、次に何かするとしたら、学校にもどるということかしら。修士号をとるとか……」

「学校？　ここまでプロとして成功している人がどうして修士号とる必要があるの」

私は小さな声でいった。彼女は私の質問には答えなかった。

英語というのは、つきつめるところ言葉、伝達の道具である。それ以上の何ものでもない。彼女はプロとはいえ、言葉を仕事にする限界とむなしさをどこかで感じているのだろう。

話がひとしきりすみ、ジャガイモバターも食べ終ったので、私たちは外にでた。私たちはブラブラと夜風にあたりながら虎ノ門まで歩いた。

「英語って何なんでしょうね。できるにこしたことはないけど、できるとできたで、ふりまわされる。やっかいなものね。でもなんで、みんな英語やりたがるのかしら」

ちょうど、私たちはソニー英会話スクールの前を通りかかった。

「しゃべれた方がステキだからじゃないかしら」

「ステキかしらね」

金丸さん、来週はパリへ飛ぶ。

第五章　ワシントン広場の夜はふけて

ニューヨーク、五番街の出発点にワシントン広場はある。この広場は本来は市民の広場であるがニューヨーク大学（NYU）のキャンパスにもなっている。というのは、まわりを大学の建物がぐるりと囲んでいるからである。

その広場の一角に、ニューヨーク大学の語学スクールのオフィスがある。正式の名称をアメリカン・ランゲージ・インスティテュート（ALI）といい、日本からこの学校に語学留学してきた人たちが手続きのためにまず最初に訪れる場所である。

古い石造りの二階建のアパート。その半地下がオフィスになっている。階段を数段おり、私は、重いドアを押した。ここを訪れるのは十年ぶりである。

実をいうと私は、この学校の卒業生である。ドアをあけるなりなつかしさがこみあげてきた。

壁に「ルームメイト求む」などの広告がピンナップされている。ニューヨークのガイドブックが積んである。何もかも昔のままである。変ったといえば、受付のカウンターの位置と、広告主の中に日本人の名前が多くなったことだ。

いや、よくみると、日本人の名前ばっかりだ。

「ルームメイト求む。一ヶ月五百ドル。連絡はモリタまで」

「私はNYU歴史専攻の一年生です。アパート探してます。一緒にシェアしませんか。連絡はヨウコまで」

ここ数年、我が国では空前の留学ブームをむかえている。法務省の調べによると、昭和六十三年に留学研修、技術習得を目的に発行された旅券は、八万四千七百八人。十年前の約八倍ということである。

しかし留学といっても、その中味は語学留学と称する、いわゆる英語を勉強にいく遊学にちかい留学が主流だ。

八万人のうち何人が正規留学で何人が語学留学か、はっきりした数字はつかめてないが、その数は年間十万人とも二十万人ともいわれている。それは観光ビザで入国して語学留学する人が大勢いるからである。そして、その語学留学の大半を占めているのが、二十代前半から三十代にかけての女性たちなのである。

留学ブームと一口にいっても、時代とともに、留学の中味も目的も、留学する人の質も大きく変ってきている。

ちょっと時代をさかのぼってみよう。

女子留学生の第一号は現在の津田塾大学の創設者である津田梅子氏である。一八七一年（明治四年）、当時満七歳の梅子は、北海道開拓使派遣の五人の女子留学生の一人として米国に渡った。彼女は留学経験をフルに生かし生涯を女子英語教育にささげた。文字通り女子留学のパイオニア的存在の人である。

梅子の時代を留学パイオニアの時代とするなら、次にやってきた時代は、エリート留学の時代である。

一九五二年、フルブライト留学がスタートした。第一期生、三百二十三人、そのうち四十五人が女性だった。フルブライト留学は、将来の日本をになう優秀な選ばれた若者たちの集団。学者、医師、若き官僚が外国の進んだ技術、学問を習得するためにでかけていった。フルブライト留学制度がはじまってから十年あまりの間、留学するといえば、ごく限られたエリートたちのものだった。

そのエリート留学に変化が生じた。一九六四年（昭和三十九年）、渡航の自由化により、留学の門は広く一般の人たちにも開かれてきたからだ。文字通り誰でもいこうと思えば外国にいける時代がやってきた。一九六一年、小田実氏の書いた『何でも見てやろう』は、若者の外国に対する好奇心を刺激した。

外国に行ってみたい。住んでみたい。今までの学問を学び日本社会に貢献するという留学ではなく、個人の体験留学がブームとなった。

この現象をヒッピー留学といった方ができとうかもしれない。しかしそのころでさえまだまだ海外留学は一部の人たちのものだった。

次の留学ブームの波は、万博（一九七〇年）を機におきた国内の英語学習ブーム。その年ついに海外渡航のうち観光の比率がトップにはねあがった。猫もしゃくしも海外旅行。海外旅行だけではあきたらず、ホームステイ、短期語学留学など、お手軽な留学がはやるようになった。一気に留学は庶民レベルに達したわけだ。

現在は、お手軽留学のピークで学生ビザで入国するから留学ではあるが、留学という言葉がふさわしくない留学時代のまっ最中である。

パイオニア留学からエリート留学へ。そして外国体験留学からお手軽留学（遊学？）へ。

津田梅子が海を渡りアメリカに行ってから百十八年。留学の中味も人も意味も明らかにちがってきている。ただ一つ変らないものがあるとすれば、それは日本人の心の中に未だに外国にあこがれ、そして英語ができるようになりたいと思う気持ちがあることだ。

私はオフィスをでると、広場づたいに校舎の方に足をむけた。外は六月だというのに真夏のひざしである。暑い。

図書館はあいかわらず同じところにあるな、などとばかなことを考えながら歩いていると、左手のビルの角のカフェが目に入った。

この界隈には珍しくオシャレなカフェである。確か昔はここは単に教室の一部だった。私は中に入ってみることにした。ちょうどお昼だったので、ランチでも食べながら、通りを歩く人たちでも観察しようと思ったからである。

緑を基調にした広いカフェは窓ぎわの席だけお客でうまっていた。

ひんやりしたカフェでサンドイッチをほおばっていると私はあることに気がついた。お客のほとんどが日本人なのである。外国で東洋人をみると日本人が中国人にみえたりすることがある。最初は、中国人の留学生たちが多いなあ、と思っていたが、よく耳をそばだてていると聞きなれた日本語が聞こえてくるではないか。

「田園調布に、ほら、あそこにあったでしょ……」

日本人男性二人、日本人女性四人でテーブルをかこみ夢中で日本のことについてしゃべっている。

となりの席に目をやると、女の子の二人組がノートを広げながらベジタブルスープを飲んでいる。奥のテーブルでは日本人の男女が一組、楽しそうにおしゃべりをしている。

ここはまるで外人のウェイターのいる六本木のカフェのようである。

私は驚きながら、今度は目を通りにむけた。ニューヨーク大学の学生が、カフェの角を曲っていく。

オヤ？　よくみていると、通りを通る学生も日本人ばかりなのである。時計をみると十二時十分すぎ。午前中の授業が終ったところだ。

明らかにＡＬＩの生徒とわかる。学部の生徒なら、手に教科書をかかえているし日本人だけの集団では歩かないはずだ。

ゾロゾロ。二十代の女性三人が歩いてきた。一人はファッションメーカー出身だろうか。かりあげ風ショートカットに麻の肩パットのきいたショートジャケットとミニスカート。肩から黒い皮革のリュックをさげている。横一列に並んで、ペチャペチャしゃべりながら通りすぎていく。

そのうしろから、女性六人、男性二人が、固まって歩いてきた。こちらも全員二十代。判でおしたように、みんなリュックを肩からさげている。

ゾロゾロ。一組ぐらい外人と一緒に歩いている人がいてもよさそうだが、一人も見当らない。

語学スクールに通っている日本人が多いとは聞いていたが、こんなに多いとは、さすがの私もびっくりした。

とにかく若い女性が多い。まるで、青山学院のキャンパスをみているようだ。

私は、食べかけのサンドイッチを残して、カフェを出た。彼女たちに話をきくには、このお昼休みをのがしてはならない。

おそらく、彼女たちは、ユニバーシティプレイスの角のデリーでランチをテイクアウトし、ワシントン広場で食事をするにちがいない。

私のカンは当った。みんなデリーの中にすいこまれていく。学生の昼のすごし方は昔も今も変らないのだ。

私はデリーに一番ちかい公園のベンチに腰かけた。

ワシントン広場は、相変らず、わけのわからぬ人たちが多い。さっき通りすぎていった日本の女の子たちが、また公園の方にもどってきた。公園内をよくみると、点々と語学スクールの日本人生徒たちがいる。みんな日本人同士である。

二十代後半ぐらいの女性二人と男性一人が私のすぐそばにすわった。テイクアウトをしたヤキソバを食べながら、クラスの人の話をしている。

かなり夢中でしゃべっているので悪いと思ったが私は声をかけた。

「ALIの生徒さんですか」

すると、彼女たちは、

「ええ」

と、私が何者であるのかという目つきで私をみた。

簡単に自己紹介し話を聞くと、一人の髪の長い女性の方は、日本にいる時はOLをやっていたということである。

「会社にずっといてもおもしろくないし、気分転換したくてきたの。サマーコースだけのつもりできたけど、もう少し長くいるか、今のところわからないわ」

もう一人の女性もOLをしていたという。二人はALIのクラスで知りあった。

「英語が上手になりたいから、私は来たの。将来、英語ができれば何か役立つでしょ。

NYUを選んだのは、この学校は質が高いと聞いてたからよ」

彼女はヤキソバを食べる手をとめた。私も語学留学の経験者。彼女たちを批難する気はない。何か変化を求めて外国行きを考えるのは女性の特性でもある。語学留学するのはその人の勝手で自由だが、こんなに日本人が多くて、はたして英語を習得するという目的を成しとげることができるのだろうか。

「日本人が多いみたいですけど、クラスにどのくらい日本人がいるんですか」

私が半分という数字を予期して聞くと、彼女は言った。

「九八パーセントが日本人よ」

「九八パーセント？」

ということは、日本以外の国からきている生徒が一クラスに一人いればいい方ということになる。

アメリカの語学スクールは、日本の神田外語学院みたいなもの、と栄陽子留学研究所の栄氏が言っていたが、そのことはオーバーでも何でもなかったのだ。

「それで、英語の勉強になるの」

私は思わず、そう聞いた。すると髪の長い方の女性はムッとするように言った。

「日本人が多いだろうが、そんなこと関係ないわよ。英語を勉強するって本人しだいだと思うけど」

本当は彼女たちもショックだったにちがいない。

私は十年前のＡＬＩのクラスのようすを思いだしていた。あの頃、一クラス二、三十名のうち、五、六人日本人がいた。当時はそれでも日本人が多いと思っていた。日本人以外の外国人では、イラン人が一番多く、あとは南米、ギリシャ、フランス、中国人と雑多だった。

今、イラン人が少ないのは国の情勢が不安定なため留学どころではないからだろうと思われる。他の国の学生が少なくなったのも、十年前とちがい特にアメリカで英語を習わなくても、母国で十分勉強できるからではないだろうか。それに、一時のように、アメリカ・イズ・ナンバーワンという考え方が、世界の若者たちの頭から消え去ったからではないかと思われる。

留学、特に私費留学はお金がかかる。それだけかけても元をとれるようでないと、諸外国の若者たちはこないと私は思う。その辺、世界の若者はしっかりしている。

日本は今、経済大国となり、人々はうかれている。円高の影響もあり、語学留学はそれほど高いものにはつかない。正規留学は無理だけど、気分だけは留学気分を味わいたいわ。そうした日本人で、いつのまにか、アメリカの語学スクールはいっぱいになってしまったのである。

ひょっとしたら日米貿易摩擦は、こんなところで解消されているのかもしれない。日本から輸出するものは今やトヨタや日産ではなく日本人留学生。アメリカの語学スクールはこうした日本人留学生で経営が成りたっているといっても過言ではないのだ。

彼女たちはまたヤキソバを食べはじめた。

私は、席を移動し木かげのベンチにすわりなおした。

英語が上手になりたい。ついでに外国生活も味わいたい。そんな憧れでとびでてきた二十代三十代の女性たちは多い。世の男性はこうした彼女たちの行動をみてどうして目的もなく外国にポッといくのかわからないと言う。特に目的らしい目的も、理由らしい理由もないと。しかし女性の私には、彼女たちの気持ちはよくわかる。

私自身、十年前にアメリカに来た理由が、「なんとなく」であったからだ。女性は、なんとなく、いだいた憧れムードで行動をおこす動物なのである。男性のように一家を養っていくという重荷がない分、女性は腰が軽いのである。それはいい意味でも悪い意味でもである。

しかし、語学留学をした後、彼女たちはどういう人生を送るのだろうか。きっかけは、英語が上手になりたい、だった。半年、一年、語学スクールにいたが、英語がぜんぜん上達しない。それでも経験しないよりはした方がよかったと自分を納得させ帰国する。ある人は英語の生かせる外資系企業に就職する。ある人は人材派遣会社に登録し、テンポラリーな仕事をする。またある人は、結婚していく。

そうやって帰国する女性がいる一方、アメリカにそのままとどまる女性もいるはずである。その中には、がんばって学部入学をめざす女性もいる。しかし、多くの女性たちは、語学スクールをやめ、そのままとどまっているのではないだろうか。グリーンカード（労働許可書）もないままに。

というのは、アメリカでグリーンカードをとることは大変困難だからだ。学生ビザで入国した人たちの多くが、ビザの期限がきれた今もそのまま不法に滞在しているはずである。不法だからといって特に問題があるわけではない。国外に出なければ、いることだけはいられるのである。

英語ができるようになりたい。それが発端でそのままずっとアメリカに住んでいる日本人女性たち。彼女たちは、はたして初期の目的を果たしているのだろうか。そして、彼女たちは、憧れの地アメリカでどんな日々を送っているのだろうか。

ヤキソバを食べていた彼女たちの二年後、三年後は……。

私は、語学スクール経由でニューヨークに長く住むことになった女性たちに会ってみたくなった。

語学留学生たちが、一組、二組と立ちあがり、校舎の方にひきあげていく。

午後の授業がはじまるようだ。ワシントン広場は、もとの老人とひま人の憩いの場にもどっていった。

五番街、ティファニーの前は日本からの観光客でごったがえしている。今日はゴールデンウィークでも、夏休みでもないのにこの人である。

私は彼らの間を通りぬけ、ダウンタウンにむけ歩きだした。尊大にそびえるセントパトリック寺院の前をすぎ、サックス百貨店の前を通りすぎた。サックスの前には人の波を妨げるかのように、盲目の黒人のおじさんと黒い犬が物乞いをしている。十年前と変らぬ光景である。石のように地べたにはいつくばって動かない黒い犬も、十年前と同じ犬なのだろうか。私は胸が痛くなりながら、わきを通りぬけた。

五十丁目、四十九、四十八丁目。番地がどんどん少なくなる。私は四十八丁目の標示機を左に曲った。角を曲ると、超モダンなオフィスビルが建っていた。昔、このあたりは古いビルが建ち並んでいたところだ。ニューヨークも東京も同じで、大手不動産業者によりビル買収が進んでいる。このビルは、ティッシュというトランプ氏に並ぶアメリカの不動産王に買いしめられたようだ。

ティッシュの巨大なビルのとなりに、ここだけとりのこされたのではないかと思われる五階建の古い建物が目に入った。そこが、私がこれから訪れる場所である。

一階がお寿司屋さん。そのわきに、出入口がありお店の看板がでている。ピカピカの五番街から入ってくると、ここだけ戦前の日本という雰囲気である。

この店は、日本人観光客向けのギフトショップである。

出入口のわきには「三階へどうぞ。日本人専用の免税店です」と日本語の説明書がある。薄暗い入口を入るとつきあたりに黒人のおにいちゃんが机の上に足をあげてポルノ雑誌を読んでいた。

「ハロー」

私が通りすがりに声をかけると、彼はあわてて、

「ハイ、サンガイデス」

と唯一覚えたであろう日本語で答えた。

彼はお店で雇われている用心棒兼、案内人なのである。ガシャン、ガシャン、荷物運搬用のようなエレベーターにのり三階へあがった。

三階で降りるとお店のドアがあった。しかしドアには目かくしがしてあり中が見えないようになっている。これは防犯用である。つまり日本人以外の人たちに、ここで高級品を扱っていることを知らせないためである。お店の入口に英語で表示をだしてないのも、外から何の店だかわからないようになっているのも、すべて防犯のためなのである。

ドアには日本語で「三回、ブザーを押して下さい」と書いてある。アリババの開けゴマ、ではないが、日本人しかドアをあけてもらえないのだ。

「ブ、ブ、ブゥ」

三回押すとドアが内手に開いた。

店内は一〇〇平方メートルぐらいの広さだろうか。品物がウワッと目にとびこんできた。

ドア右手が毛皮のコーナー。ミンク、フォックスなどハーフコートを中心にズラリと並んでいる。左手壁際は、宝石と時計、ブランドのハンドバッグのコーナー。その他デ

ィオールやカルダンの小物、スカーフ、化粧品、ボールペンなどなど。

朝十時半というせいか、客の姿はない。店内はピンクと黒の制服をきた女子従業員たちがあわただしく動きまわっている。何人かの従業員は、カウンターの中の定位置でお客を待っている。

このギフトショップのオーナーは、日本の企業の元駐在員だった人である。彼はアメリカの魅力にとりつかれ、会社を辞め自分で事業をはじめた。

ギフトショップを開いて、今年で十五年目。現在、ニューヨークにあるギフトショップの中では大きい方である。

私が、このギフトショップにやってきたのは、彼ならアメリカに住む日本人のことに詳しいと思ったからだ。

実は今日の取材で、私はニューヨークに長く住むいろいろな人たちに、学生ビザできた女性たちがどんなところで働いているのか知るためにたずねてみた。ギフトショップのオーナーもその一人だった。彼から情報をえるつもりでお店に伺ったのだが、偶然にも彼の店こそ、私が探していたところだったのである。

ダイヤ入りの金のロレックスをしたオーナーは私にこういった。

「うちに沢山いますよ。学生ビザできて、そのままニューヨークにいる女性は多いですよ。テレビドラマがあったでしょ。桜田淳子と田村正和の……『ニューヨーク恋物語』。あれの影響も大きいいんじゃないのかな」

私はあらためて店内で働いている女性たちをみまわした。二十代、三十代の女性が多い。オーナーから説明をきかなければ、彼女たちは日本人なのか韓国人なのかわからない。ニューヨークという街の器のせいか同じ日本人の販売員でも日本のデパートにいる店員さんとはぜんぜんちがう。

アメリカっぽいというか、ちょっときつい感じというか、いやしっかりしているというべきか、おそらくメイクもちがうから日本人にみえないのだろう。ほとんどの女性がアイシャドウをピンクにしている。

現在、ギフトショップの従業員は二十五名、うち二十名が女性である。そのうちの半数が語学留学できた日本女性たちである。

オーナーは、こちらにいる日本の女性たちについてこう語った。

「昔はね、僕がニューヨークに来た頃は、こっちにいる日本人といったらエリートたちだけだったんだよ。このごろはいろいろな人がきているね。日本人の質も悪くなった。過去を知らない人ばっかりだよ」

彼は昔をなつかしんだ。彼こそがエリート駐在員だったからだ。

「こっちにくる女性も変ったね。昔はアメリカに住みたいと思ったら、最低一年分の生活費ぐらいは稼いでもってきたものだよ。今の人たちは、二、三ヶ月分しか用意してこないものね。アメリカにちょっと英語の勉強にと来てみた。おもしろそうなところだからもっといたい。こちらで働けばなんとかいられる。もしだめなら、帰ればいいや。そう人たちが本当に多いですよ」

彼は笑う。

彼がいうには、日本の女性は一回、グループツアーで下見にきているという。一回目はまったくの観光旅行でくる。二度目に学生ビザで長期滞在するためにくる。そういうパターンが多いようだ。

「こっちに住みたいんですけど、どうしたらいいでしょうか」という観光客からの質問はしょっちゅううけるということだ。

オーナーは店のチーフを呼ぶと、履歴書をもってくるようにいった。

「これをちょっとみて下さい」

履歴書の数はざっと百はある。この店で今まで働いた女性の履歴書らしい。アメリカで日本式の履歴書をみると、何か変な感じだ。

「これ、今までのここで働いた人たちの履歴書ですか」

私が尋ねると、オーナーは首を横に振った。

「この間、店員募集の求人広告をだしたんですよ。店を移転拡張するもので。それに応募してきた人たちの履歴書ですよ」

「へえ——こんなに」

私は心底おどろいた。東京なら、ひとつの求人広告に百人集まるのはわかる。人口が多いのだから。しかしここはニューヨーク。私は目の前の履歴書の束をみながら、ひょっとして、ニューヨーク中に住んでいる若い日本女性がこの中にいるのではないかと思ったほどだ。

オーナーは笑っている。

「うちがどんな店なのか、何を売っている店なのか、何の下調べもなしに、働きたいといって電話がかかってくるんですよ」

それだけ、職にありつけない人たちがいるということだろうか。ニューヨークでは意外に働くところがないということだろうか。私は現実が把握できずただ唖然としていた。

昔、私がニューヨークにいる頃、日本人学生の働き口といえば、日本レストランのウェイトレスと決まっていた。学生ビザで入国した者は、本来は働いてはいけない。アメリカで働くにはグリーンカードが必要だ。あのころレストランぐらいしか不法滞在の人を雇ってくれるところはなかった。

オーナーは説明する。

「昔はレストランで働く人が多かったけどね。今はレストラン業界も不振だからね。レント（賃貸料）が高くてつぶれているところが多いよ。不法滞在者にとって働くところがなくなってきているんですよ。ナイトクラブも下火だしね。それに、今の若い人は、きたない仕事はしたがらない。外国にきてもきれいな仕事をしたがるんだよ」

経済大国日本。近ごろニューヨークにくる若者はお金をもっている。贅沢に育ってきている。たとえ一時的な滞在にせよ、皿洗いやウェイトレスなどやりたくないのだ。何でも見てやろうのヒッピー精神は今の若者にはない。日本にいる時と同じオフィスワークなどのきれいな仕事を好むのである。

グリーンカードのない日本人はアメリカの企業や日本の企業では働けない。ウェイトレスも嫌だ。そうなると、日本人経営の小さなお店で働くより仕方がなくなる。というわけでニューヨークにある、ギフトショップ、おみやげ物屋、免税店は、海外にでていった日本女性たちの溜り場になっているのである。

私は履歴書を一枚、一枚めくった。みんな夢と憧れを胸に日本をたってきた人たちばかりである。

「A子さん。一九六三年生(二十六歳)。短大卒。学生ビザ。アメリカの滞在期間八ヶ月。現在、語学スクールに通っている。

職歴――○○美容室勤務、メイク担当。希望、長くアメリカにいたいので働きたい」

「B子さん、一九六三年生(二十六歳)、外語大卒。学生ビザ。語学スクールをやめ現在ダンスの学校に通っている。ニューヨークにきて半年。

職歴――○○航空会社スチュアーデス、一九八八年退職」

「C子さん、一九六四年生(二十五歳)、神田外語学院卒。学生ビザ。アメリカにきて四ヶ月、現在、語学スクールに在籍中。
職歴――〇〇旅行代理店勤務。アメリカにずっといたい」

＊

水野まなみさんもその一人。彼女も新聞広告を見て応募し、半年前からこのギフトショップで働くようになった。

紫のアイシャドウが印象的な女性だ。年齢を聞いたら「いわなくちゃいけないの」といわれてしまった。察するところ三十代後半から四十代はじめと思われる。

私たちは店のすみにある禁煙コーナーで話をはじめた。

水野さんは関西の出身。高校を卒業してから特に就職することなく、習い事をしたり旅行をしたりして暮していた。

「就職したことないんですか」

私がびっくりして聞くと、彼女はニコニコ笑いながら言った。

「私、働くの好きじゃないの。むいていないのわかっているの。遊んでいるのが好きなのよ」

実家がよほど裕福だったらしい。それとも彼女自身も親も、すぐ嫁にいくのだから、それまでは好きなことをして暮していればいいと考えていたのかもしれない。

そんなに遊んでいるのが性にあってる彼女が、今、とても優雅とはいえない環境で働いているのである。私は納得いかなかったが、彼女の話を聞いていた。

彼女がアメリカに来たのは、六年前。しかし今回がはじめてではなかった。十年ほど前に数ヶ月、ロサンゼルスに遊びにきた経験をもつ。

今回、彼女がアメリカに再びこようと思ったのは、相次いで両親が亡くなったことと深く関係があった。

八年前に両親が亡くなりたった一人の弟が結婚した。それと同時に実家での居心地が悪くなった。一人で住むには一軒家は大きすぎ、弟夫婦と同居というのも気がすすまなかった。

「その時、やっと、何かしなくちゃと思ったんです。でも私に何ができるかしら。特別技術があるわけじゃなし……そうだ。アメリカに行ってみようかしら。一年ぐらいむこうに行けば英語がペラペラになれるかもしれない。そうしたら英語っていう特技で帰ってから仕事をみつけられるかもしれないわ。そう思ったの」

三十すぎて独身でしかも特に技術をもっていない彼女が考えたことは、英語を身につけ、それを武器にすることだった。

「高校の時、英語の成績はよかったけど、英語で何かとずっと思っていたわけではないのよ」

彼女は上目づかいがくせのようで、窓の上の方に視線をはずしながら話す。

学生ビザで入国。ニュージャージー市のはずれにある語学スクールに籍をおいた。ニユーヨークの学校を選ばなかったのは、なるべく日本人を避けたかったからである。

結局、語学スクールには半年通ったがやめてしまった。

「語学スクールってやることがいつも同じ。ぜんぜん英語など上達しないのよ。だからやめたの、お金のむだですもの」

その時、彼女は日本に帰ろうと思った。しかし、今帰ったとして英語を使う仕事など自分にできるだろうか。どうにもこうにも英語が中途半端だ。このまま帰るのはかっこがわるいし、かっこがつかない。

「もう少し上手になってから、もう少しと思ううちに六年がすぎちゃったというわけなのよ」

彼女は笑った。これが本心であると思われる。

「英語ってね。学校にいって習うより、アメリカ人のお友達つくって一緒に遊んでた方が、上手になるわよ。私はその方法にきりかえたの。アメリカ人の友達と一時間でも二時間でも電話でしゃべるの、とても勉強になるわよ。学校なんかダメよ」

彼女のいっている意味はよくわかる。英語というものはアメリカに住んで学校にいっていればペラペラになれるというものではない。本当にペラペラになりたい人は、日本でだってできるのだ。要するに方法は何にせよ本人の努力だけなのである。でも、アメリカにいけばできるようになると私たちは思いがちだ。いえ、そう思い込みたいのだ。それでなければ、現在の生活を捨て自分を旅立たせるいいわけがたたないからだ。

私はとても不思議に思った。彼女は六年間英語の上達に余念がなかったことはわかったが、他に何をしていたのか。

彼女の話によると、オーナーと二人きりの小さな画廊で一年半あまり秘書のような仕事をしていたという。そのあとは日本語を教えたり、ある事務所の仕事を手伝ったり。つまりアルバイトをしていたということである。

「お金がなくなると働いて、貯まると遊んでいたのよ」

彼女はケロリとした顔で話す。彼女は根っからのお嬢様なのか、それとも単に楽天的なのか私にはわからなくなってきた。お金はかなりもってきていたようだ。

「この店に入る前、昨年ね、日本に帰ろうかなと思ったの。人間関係でとても嫌なことがあったので、帰るいい機会だと思ったの。英語もできるようになったし、タイプも打てるし、日本に帰っても住む家もあるし、食べるぐらいのお金もあるし……。でも、帰れない事情ができてしまったの。私っていつもそうなの。帰ろうとすると帰れないことがおこるのよね。とても運命を感じるわ。だから私、今は運命にまかせることにしているの」

その時の帰れない事情とは、あることで彼女は告訴した、しかしすぐ解決するはずのものが長びき、結局一年もかかり帰れなくなってしまったということである。

帰らないのであればまた何か仕事をみつけなくては。そこで探しあてたのが現在の仕事だった。

朝十時から夜七時まで、週五日間の勤務である。朝六時におきてニュージャージーからバスで通う。夜の帰宅はバスがこなかったりすると九時半ぐらいになる。家に帰って食事をして新聞読んで……そのくりかえしだ。

彼女は今、日本の働きバチ的な生活を送っている。遊んで暮していた日本の時の生活とは百八十度もちがう。

彼女はいう。

「とりあえず今はこれで仕方がないと思うの。でも働いている人がいい人ばっかりだから楽しいわよ。私ね、将来やりたいことがあるの。でも、それに執着してないの。すべて運命にまかせようと思っているのよ。目的きめて、がむしゃらにっていう生き方、好きでないの。来年の今頃？　何やってるか？　それはわからないわ……」

彼女の言葉のはしばしに運命という言葉がでてくる。やりたいことについて具体的に教えてくれなかったがスペイン語はやりたいことのひとつだということだ。

英語が上手になりたい。とりあえず渡米の当初の目的をはたした彼女は、これからどうしようというのだろうか。日本にもどって外資系企業で働くことは考えていないようだ。

彼女は窓の方をみながら答えた。

「私はおそらく、ずっとこっちにいるような気がするの。アメリカの方が人のことを気にしなくていいから住みいいし。とっても楽。日本はみんなに歩調あわせてないと出るくいは打たれるでしょ。こちらにいればその日暮しかもしれないけど……でも生活に困らなければそれでいいわ」

私は彼女の話を聞きながら、すかさず聞いた。

「こっちがいいということは、英語を話す国にいる快感みたいなものもあるんでしょ」

彼女は大きく首をふってうなずいた。

「外人と英語で話をすることはすごく楽しいわ。本当はいつでも英語を使っていたいのよ。英語という響き、その雰囲気がすごく好きなの。そういうことは自分では意識してないけど帰りたくない理由のひとつかもしれないわね」

彼女は英語の発音が上手そうな雰囲気の人だ。顔の表情も外人ぽい。

最後にビザについて聞いてみた。彼女の学生ビザは切れているし、グリーンカードももっていないはずだ。

「長く住むにはビザが必要でしょ」

私が心配して聞くと彼女はあっさりと答えた。

「ビザのことは特に心配してないわ。この店で働いている分にはいらないし。どうしてもビザが必要になった時は、アメリカ人の老夫婦が私をアダプトしたいといっているから、その時はそうしてもいいと思っているの」

中野淳子さん、三十七歳は五年前にニューヨークにやってきた。

かりあげ風ショートカットが若々しくとても三十七歳には見えない。ピンクのアイシャドウがどこか彼女を日本人離れさせている。

彼女は文化服装学院の出身。東京にいる頃ファッションメーカーに勤めていた。

彼女が外国に興味をもったのは、二十代の後半、会社の友達に世界一周旅行を誘われたことからだった。

「世界を見るいいチャンスだわ」

一年がかりでお金をため、会社を辞め、四ヶ月半のアメリカ、ヨーロッパの旅に出た。この旅が、今回のアメリカ長期滞在旅行のきっかけになった。

「その旅で世界中をみて、ニューヨークが一番刺激があっていいなあ。今度は住んでみたいなあって思ったんです」

世界旅行の旅から帰り、再びファッション関係の会社に就職した。ファッション業界の場合、商社や銀行とちがい、再就職はむずかしくない。特に彼女のように専門学校をでており、ファッション畑の中をずっと歩いてきた人にとって仕事はいくらでもある。

彼女は、決心した。一年後、ニューヨークに住む。また海外にいくためお金をためだした。

「ファッションの仕事が嫌だったんじゃないんですよ。仕事は満足していました。でも同じことのくりかえしで、進歩はないと思ってましたけど」

東京でファッションの仕事をしているよりニューヨークで暮したいという気持ちの方

が強かった。東京にずっといても、仕事をするだけのくりかえし。特におもしろそうなこともない。ニューヨークだったら何かあるんじゃないだろうか。

とりあえず一年分の生活費、四百万円をため渡米した。そして誰もがそうするように、語学スクールに籍をおいたのである。

「心はずんでやってきたんです。念願のニューヨークで生活できる。最初は一年の予定だったの。一年間でも英語ができるようになれば、日本に帰ってからも生かせる。だからこの旅行は無駄じゃないと思って」

彼女は目を輝かせながらしゃべる。当時の気持ちにもどっているのだろう。

「一年住んでみたら、もっと住みたくなって」

住みたいといってもお金が問題だ。彼女は今に至るまでのことを説明した。

「最初は、こっちのファッションメーカーで働きたいと思って、FIT（ファッション関係の短大）にも通ったんですよ。就職先もいろいろあたってみたけど、こっちでは、いくら東京で経験があっても、アシスタントからなの。私の専門はパターンメイキング。パターナーって給料すごく安いのよ」

一ヶ月七百ドル。家賃が最低五百ドルの時代、これでは生活はできない。

「ペリーエリスのところからも仕事の口がかかったことあるの」

ペリーエリス。かの有名なデザイナーである。

「すごいじゃない。さすがニューヨークね」

私が歓喜した声でいうと彼女は顔をくもらせた。

「会社を見にいったの。そうしたらオリエンタルばっかり。雰囲気が好きになれなかったからやめたんです」

オリエンタルばっかりといっても、彼女もオリエンタル。それなのにと思ってしまったが、彼女のいいたいことはわかる。アメリカで生活していると他の東洋人がとても低くみえるのである。自分も東洋人だが、日本人は東洋人のグループではなく、白人のグループにふさわしいと錯覚してしまうのだ。国に経済力があるばかりに、私たちは変な優越感を身につけてしまったのだ。白人からみれば、日本人はあくまでもオリエンタルなのであるが。

アメリカにいるからこそ、白人世界で流暢に英語を使って暮したい、と思うのは、ニューヨークに関しては誤算になる可能性が高い。

アメリカ社会で働きたいという彼女の夢は日に日にくずれていった。

「アメリカ人の中にいると、いつも人種でランクわけされるでしょ。それにいつクビを切られるかわからない。たとえ今、がんばって仕事を続けていても、仮に成功したとしても、先がみえてるなあと思ったの」

パターナーの場合、成功しても月四千ドルぐらいということだ。専門を生かして働くより、他の仕事をした方が金になる。彼女はそう思った。

「ここで働くようになったのは、ビザが申請してもらえるからなの。それが条件で入ったんです。働いてみるとお給料もいいし、仕入れの仕事などもやらせてくれるので仕事がおもしろいんです。ええ、今のところやめる気はないですね」

ラッキーなことに入社二年半目にしてグリーンカードがとれた。給料も年間三万ドルちかくもらっている。仕事もおもしろい。安定した日々を送っている彼女である。

しかし、せっかく外国暮しにあこがれて日本の生活を捨てて出てきて、日本人を相手にする日本人従業員だけのお店に勤めていて、外国にいる意味はあるのだろうか。

彼女は言った。

「そうね。英語が上手になりたいけど何年いても英語はぜんぜん上達しないわね。ほとんど使わないから。今、アメリカ人の先生に週二回、プライベートレッスンうけてるんです。英語を外人と話すのって、その時だけです」

「英語は好きですか。英語圏に住んでいて英語を話すのは英語の先生とだけ。それでもいい外国暮し。英語をしゃべっている感じというか……」

私が聞くと彼女は即座に答えた。

「ええ、英語の雰囲気は大好きです」

日本より、アメリカの生活の方が自分にあっている。だから当分日本には帰らないと彼女はいう。しかしアメリカに骨をうめるつもりはない。いずれ日本に帰る。いつかは自分でもわからない。

「この国のいいところは、自分の年を忘れさせてくれることね」

この言葉が、彼女の気持ちを代弁しているような気がした。
ブ、ブ、ブー、ブザーが三回鳴った。客がきたようだ。
「ごめんなさい」

彼女は席をたっていった。彼女と入れかわりにこの店のチーフがこちらにやってきた。

「あと、誰に話を聞きたいですか。沢山いますけど。二十代の人もいますけど、今日、ちょっとまだ来てないみたいで……」

履歴書をもってきてくれた女性だ。

さっき私は失礼と思ったが、彼女に話を聞きたいと申し出た。

「私は語学留学ではないんですよ」

といいながら、彼女は快く取材に応じてくれた。

広瀬照美さん、三十二歳。テキパキと仕事のできそうなタイプの女性。アメリカに来たのは、二十八歳の時、理由は三十前に何かしたいという衝動にかられたからだという。

彼女は北海道の出身。高校を卒業してからずっとOLをしていた。

「観光ビザできたんです。くる時から不法でもいいから三年はいてやろうというつもりだったの。行ってしまえばなんとかなると思って」

百二十万円もってケネディ空港におりたった。一人の知人をたよりに、レストランのレジをして働いていた。このギフトショップで働くようになったのは一年前。新聞で求人していることを知り応募した。このような日本人ばかりのお店で働いていて、英語の方はどうなのだろうか。フラストレーションはないのだろうか。その辺のことについて尋ねると彼女は答えた。

「今、週二回、英語のプライベートレッスンうけているんです」

さっきの彼女と同じだ。ニューヨークまできてプライベートレッスンをうけている女性が多いのだ。

「英語を使う機会がないのは残念だけど……ここ二年で、やっと思っていることが言えるようになったわね。英語は大好きです。なんというのか、英語のひびきがたまらなく好きなの。だから英語を話すことは、ちっとも苦痛じゃないです。もっともっと上手になって、世界中の人と知りあいたい……それが私の夢なのよ」

せっかくニューヨークにきているのに日本人相手のお店で働いているのは生活のため。しかし、彼女はそれを不服には思っていない。仕事で英語を使う機会がなくても、街にでれば、そこは英語の世界だからだ。彼女は、英語を話す外国にいる自分が好きなのである。少なくとも私にはそう見えた。グリーンカードはまだとれていない。不法滞在であるにもかかわらず、彼女はそんなこと一向に気にしていない。ニューヨークにいる自分が好きなのであるから。

「チーフ、電話です。エニーから」

従業員の女性が呼びにきた。

「すみません、ちょっと」

彼女はカウンターの中で電話をとった。

「オウ、ハイ、エィニィ……リアリー……オーケー……」

英語の発音、ひびきはネイティブアメリカンである。すごく雰囲気をつかんだイントネーション。ああいうしゃべり方は自分を酔わすだろうなあ。私は彼女がアメリカを好きな気持ちが、うまく説明できないがわかるのだ。

しかし、日常会話は外人ぽくしゃべれても、自分の意見や映画の感想などを英語で話すとなると話は別だ。英語は上っ面のまねはすぐできても奥が深い。だから日本人は、学校で十年間英語を学んでもできないのである。

彼女も私にこう言った。

「英語ってある程度のところまではうまくなるのよね。でもその先が、すごーくむずかしい」

「明日いくわ。わかった。十時ね。もちろん遅れないわ。じゃ、その時」

ぐらいの会話を外人ぽく話すことは、ちょっとプライドをすてれば誰にでもできることだ。

彼女はとりあえず今の生活に満足している。何が満足しているかって、それは、エキサイティングな大都会、ニューヨークに住んでいるということである。

北海道でもない。東京でもない。世界の中心、ニューヨークに住んでいる。そして英語をしゃべっている自分がいるという満足感が彼女を支えているのである。

彼女は言った。

「今の生活はこれでいいんだけど、このままずっとこうしていていいのだろうかとは時々思うわね。でもなんだかここに長くいるような気がするの。ニューヨークがすごく好きだし。この摩天楼をテレビや映画でしかみれないのかと思うと帰れなくなっちゃうのよ」

彼女は言葉を続けた。

「できたら結婚したいとは思っているわ。いい人だったら外人でもかまわない。でも結婚ってめぐりあいだから思っていてもなかなかね。もし日本に帰ることがあったら、その時は田舎で英語を教えたいと思っているの」

北海道の田舎では、東京とちがいアメリカ帰りの英語の先生はまだ珍しい。ネイティブの発音なら生徒は集まると彼女は言う。両親も彼女がニューヨークにいることを誇りに思っている。ニューヨークに娘が住んでいるということは自慢なのである

ブ、ブ、ブー、またブザーが三回なった。女の子がドアをあけると、日本からの観光客がドッと店内になだれこんできた。

今までの静けさはどこへやらとんでいった。あっという間にアメ横の雰囲気になった。

大型観光バスが着いたのだ。

店員は全員、所定の位置についた。短時間で大量に売るのが免税店の使命である。

店はにわかに活気をおびた。

「はい、こちら、ディオールです。二〇パーセント引きになってます」

さっきインタビューに答えてくれた紫のアイシャドウの女性が、おじさんにネクタイをすすめている。

英語のひびきが好きでニューヨークにやってきた日本の女性たち。だが彼女たちの現実は非常にジャパニーズなのである。しかしそれでも日本にいる時よりは幸福なのである。英語をしゃべる国にいるということが彼女たちを支えているからだ。

「円ですか、ドルですか。はい、アメックスね。ここにサインして下さい、はい、はい、はい……ジバンシィのスカーフもありますよ。奥様のおみやげにどうですか」

第六章　ある国際結婚

　ワシントン広場からタクシーをひろった。今日は道がやたらと混んでいると思っていたら、ブッシュ大統領がニューヨーク市に来ているということだ。「お客さん、おれはいいけど、地下鉄でいった方が早いと思うよ」珍しく親切なタクシードライバーの忠告にしたがい、私はタクシーを途中であきらめ、地下鉄と徒歩で五十六丁目にむかった。地下鉄にはなるべく乗りたくないと思っていたが、この際仕方がない。予約の時間に間にあわなかったら、宮崎スミ子さんに迷惑をかけることになる。

　私は午後一時に、宮崎スミ子さんの美容室に行くことになっていた。私と彼女は面識があった。が、お店を訪ねるのははじめてである。

　それにしてもマンハッタンの五十六丁目で仕事をしているなんてすごいなあ。彼女も大したものだなあ。考えてみたら、あれからずいぶん、年月がたっている。私はしばし感慨にふけった。

私がはじめて彼女に会ったのは、確か一九七〇年代の終り頃だった。その頃、私はアメリカ体験留学の最中でニューヨークに住んでいた。彼女は私の友人の知り合いで、何かの折にチラッとどこかで会った。あの頃は日本人留学生(語学留学を含む)の数が今のように多くなく、日本人というだけで、知り合いになることが多かったのだ。

私が宮崎さんのことをよく覚えていたのは、彼女の日本人ばなれした体型だった。ふくよかな、オペラ歌手のような体つき、といおうか。正直なところ、大変ふとっていたので印象が深かった。

その時の友達の話によると彼女は日本で美容師をやっていて、ニューヨークに美容師の勉強にきているということだった。ふーん。私は彼女のことをことさら気にとめていなかった。というのは、他の多くの日本人たちと同じように何ヶ月かしたら日本に帰るだろうと思っていたからだ。

その彼女が未だにニューヨークにいる。しかも国際結婚していて妊娠八ヶ月だというのだ。そのことを聞いた時、私は、人の人生とは、ちょっとしたきっかけにより大きく変化するものだと痛切に感じた。英語(外国)というきっかけ。その小さなきっかけが、その人の人生を決定づける。私はこんなことを考えていた。

十年前、ケネディ空港にはじめて降りたった時点では、彼女の人生も私の人生も大して変らなかったはずだ。私は数年でアメリカをひきあげ日本に帰ってきた。十年後の今は「ニューヨークに住んでいたこともあったわね」、アメリカへの思いはその程度である。一方彼女は、とっぷりとアメリカに浸り、アメリカの引力にひきよせられた人生を送ることになった。

彼女は最初からアメリカと人生を共にするつもりだったのだろうか。英語ができるばっかりにアメリカに深入りしてしまったということはないのだろうか。

私は自分のことを思い返してみた。一九八〇年、私は大学院を卒業した時点で、帰国するかアメリカに残るか結論をださねばならなかった。私は迷った。当時のニューヨーク生活は確かにエキサイティングで生きてる実感があった。このままニューヨークにとどまりたい。義理と人情を美徳とする画一的な日本になど帰りたくない。そう思ったのは事実である。

しかし、それにもかかわらず私は帰国を選んだ。それは私の語学力におうところが大きかった。私はあしかけ二年半、アメリカにいたが、英語力にはきわめて自信がなかった。もちろん、日常会話に困ることはないが、日本語でいうように自分の感情を自由自在に表現することはできない。アメリカ暮しは非常に気にいっていたが、英語という言葉を四六時中使っていなくてはならないのかと思うと、とても住む気にはなれなかった。ゲストとして住んでいるうちは、この程度の英語でもまにあう。しかしアメリカ人社会の中で対等にやっていくには、お粗末すぎる。言葉で劣等感を感じながら生活していくのはたえられないことだ。

私がアメリカに住むことを選ばなかったのは、英語の重荷である。もし、私が英語が堪能だったら、私の人生も変っていたのではないかと思う。

今はそう思ってはいないが、十年前は日本よりアメリカの良い所ばかりが目についた。好きな男性でもいたら国際結婚していたにちがいない。

ニューヨーク滞在中、私がアメリカ男性と深いおつきあいをしなかったのも、私の英語力と深く関係がある。愛さえあれば言葉なんかできなくてもというのは、私に限ってうそだ。

女性と英語について考える時、男性と英語のかかわり方より、女性と英語のかかわり方の方が濃密である。それは女性は英語を話す外人と結婚することにより生活の拠点地が変るからである。男性の方は外人の女性と結婚しても、一時的には外国にいてもホームベースは日本。単に青い目のお嫁さんをもらったという変化だけしかない。日本男性が外人と結婚する場合、もしかしたら英語すら必要ないかもしれない。かつての千昌夫さんのお宅のように。男が主導権をもてば、男の母国語にあわせるのがふつうだ。

英語は単に外国の言葉ということだけではない。人の人生と深くむすびついている。いいえ、女性の人生を変えてしまうほど強力なものではないだろうか。

*

五番街を下から上にむかって歩いているうちに、五十六丁目の角までやってきた。左に曲った。トラックが道を半分ふさいでいる。ひとつ先の五十七丁目の通りは、ヨーロッパの高級ブティックが軒をつらねているが、一本ちがいのこの通りに、ファンシーな店は見あたらない。

ツナサンドやターキーサンドイッチを売るデリカテッセン、インドの看板の店、日本料理屋、雑貨店、マンハッタンのふつうの横道が続いている。

確か、彼女の働く美容院は通りに面していると聞いていた。ガラスばりの店で通りから宮崎さんが働いている姿が見えるからすぐわかるわよ、と友人は言っていた。

それなのに、私は六番街まできてしまった。

おかしいなあ、五番街と六番街の間だから、絶対歩いてきた道にあったはずなのに。

私はたちどまりメモをとりだした。今度はドアの上にでている住所標示の番号を確かめながら、もどった。

ここだ。ドアの前で私は恐る恐る中をのぞいた。とても美容室とは思えない。私がためらっていると、左のショーウインドーのようなスペースから宮崎さんがこっちを見て笑っているのがみえた。

ガラス張りの美容室というから私は日本のような明るいモダンな店構えを想像していた。しかし、ここはちがっていた。

ここは、二十年前の理髪店という雰囲気である。間口が狭く奥に細長い通路のようなお店だ。うす暗い。

ビニールの椅子が十台ほど並んでいる。その前に何の変哲もない鏡があるだけだ。

モダンなインテリア、色の統一されたタオルや小物。ズラリと並んだヘアケア用品の数々。快いミュージックに甘い香り。日本の美容室になれている私は、タイムマシーンにのったような気持ちになった。

「こんにちは、お久しぶりです。お店がわからなくて、すいません遅れて」宮崎さんは相変らずふくよかで大変元気そうだ。私は、店の雰囲気にびっくりしながらも、悪い気はしなかった。みせかけで生きてない。ハサミ一本で仕事をしているということが実感として伝わってきたからだ。

「結婚したんですってね。おめでとうございます」

彼女はあいまいに笑った。妊娠しているということだが、もともと体格がいいので、よくわからない。花柄のブラウスにスカートが彼女を日系二世のようにみせている。

「着がえる?」

と彼女が聞いた。

アメリカではシャンプーする時、洋服に水が入るのを防ぐため、白いケープのような服に着がえさせられる。それだけアメリカ人は無器用なのだ。私は着がえなくていいと答えた。

「じゃ、先にシャンプーしてきて。話はそれからにしましょう」

結婚情報サービス協議会正会員
結婚情報
OMMG
どうか、いい恋を、
してください。
幸せは、あなたからはじまります。
Lun Lun
1 結婚チャンスカード
入会申込書ではありません。お気軽にお送りください。さて、OMMG会員の中であなたにふさわしい方は何名？
2 入会ご検討
アドバイザーとの面談は無料です。システムをよくご理解のうえ、入会をご検討下さい。
3 ご入会
いよいよ幸せの第一歩。ご入会には公的独身証明書、在職証明書等、入会審査書類をご用意いただきます。
4 パートナーご紹介
会期2年の間、毎週2名のお相手のデータを繰りかえし請求することが出来ます。
5 交際のお申込み
お相手のデータを見て、あなたが気に入れば、ご交際をお申込みください。
6 ご交際
お相手のOKがでればご交際開始。同時に数名とのご交際も可能。会員情報誌、イベント、パーティ等もあわせてご利用下さい。
7 ご成婚
晴れて結婚。式場、ハネムーンの割引斡旋やブライダル用品、貴金属の会員割引など、心をこめたアフターサービスで新しいふたりを応援します。
Uki Uki
ウラ面の結婚チャンスカードが、
幸せへの第一歩。
お気軽にお送りください。
■カードにご記入いただいたデータをもとに、❶条件・性格等の適合した、いまもっともあなたにふさわしいOMMG会員の人数、❷具体的な紹介データをお知らせします。また❸性格傾向テストの結果、❹バイオリズムカレンダー、❺詳しい案内資料をさしあげます。
●応募資格／男女とも現在、結婚・内縁（同棲・準婚）関係のない方なら初婚・再婚を問いません。男性20歳以上（定職のある方）、女性18歳以上。年令の上限はありません。
全県直営77都市
お気軽に、幸せフリーダイヤル
北海道、東北、関東、東京、甲信越、東海の方は、
0120-11《イイ》-4865《ヨメムコ》
中京、北陸、関西、中国、四国、九州、沖縄の方は、
0120-13《イザ》-5029《コウフク》

結婚情報サービス協議会正会員
結婚情報
OMMG
どうか、いい恋を、
してください。

日本人の背の高い男性が私を奥のシャンプー台の方にうながした。彼は日本から観光ビザできていて、彼女のアシスタントをしているということだ。

昔の床屋にあったようなシャンプー台。店の奥で他の美容師たちがサンドイッチをパクつきながら大声でしゃべっている。

「この店のオーナーはどなたなんですか」

私がシャンプーをしてくれた彼に聞くと、ここで働いている美容師はオーナーに雇われているのではなく、椅子代という名の場所代を払って、自分の商売をしているということである。

だから、お店に入った時に、誰も「いらっしゃいませ」と言わなかったのだ。場所貸しだから設備も貧弱というわけだ。

宮崎さんの椅子は、一番道路よりの場所である。

私がシャンプー台からもどると、彼女は道具入れからハサミとくしをとりだし、私の髪をなでた。

「どんどん聞いて。何でも話すから。今日は三時まで予約が入ってないから、それまでいいわよ。書いてほしくないこと？　言ったこと全部書いちゃっていいわよ。私、書かれて困ること何もないから。ハハハ」

体と同じように気持ちも大らかな人だ。

「宮崎さん、すっかり、こっちの人になってしまったわね」

私は鏡の中の彼女の姿をまじまじとながめた。

宮崎スミ子さん、四十三歳。

彼女が英語に興味をもったのは、小学校の時だった。英語というよりローマ字といった方が正解かもしれない。彼女はまず、ローマ字にひかれた。中学に入り英語を教わるようになり、ますます英語に興味をもちはじめた。英語が大好きになった。しかし、高校に入ってからは、授業がおもしろくないということもあり、英語への興味はしだいにうすれていった。しかし英語の成績はよかった。

彼女は小さい頃から映画が好きだったので、英語には人一倍関心があったのだ。特に高校生になると、洋画ばかり観ていた。

「当時、ビートルズが全盛だったんですよ。ビートルズのいる国ってどんなところなんだろう。あの頃、ばくぜんと外国に対して憧れをもってましたね。将来、外国で暮してみたいなあって、その頃から思っていたんです」

ビートルズの曲は全部歌える、と彼女はいう。私たち団塊の世代の人たちは、ビートルズの歌で英語を覚えたといっても過言ではない。私もビートルズの歌で英語が好きになり、外国に興味をもった一人だ。

しかし、外国で暮してみたいとばくぜんと夢はもっていたものの、今のように渡航が簡単ではなかった。それに飛行機代も高かった。

宮崎さんは高校を卒業すると、一流商社に就職した。

「商社に就職したのは、商社って英語使うし、なんかかっこよく見えたから入ったんです。勤めているうちに、もっと英語が上手になりたくなって英会話学校にも通ってたのよ。英語をマスターしたい。仕事でも、もっと英語を使えたらステキだなあって思ってたの」

その頃、ビートルズを皮切りに、英国から新しいものが次々と日本に上陸した。ミニスカート、マリー・クウァント、パンタロン……。

だから最初、彼女にとって外国とは英国を意味していた。

彼女は私の髪を手際よくカットしていく。

「商社には三年半勤めてたんですけど、このままいても昇進もないしと思って辞めたんです。何か一生できる仕事がしたいと思ってね」

アシスタントの男の子はいつの間にかいなくなっていた。気をきかせて席をはずしたようだ。

大学に入りなおし法律を学ぼうか。弁護士なら一生やれる。いや、私は人と接する仕事の方がむいている。美容師という仕事はどうだろう。結構おもしろそうだ。

結局、美容学校に二年通い資格をとることに決めた。学校の授業で英語があったが、常に百点だった。

「それで、どういうわけでアメリカにくることになったんですか」

私がせかせると、彼女は話を続けた。

美容師の免許をとった彼女は、西荻窪の美容室に就職した。そこに定期的にくるアメリカ人の婦人がいた。

「みんな、外人だからその人の頭、やりたがらないんです。敬遠するのね。でも私は敬遠しなかった。それでいつの間にか私が彼女の担当になったというわけなの」

宮崎さんはその外人から、ニューヨークの街について、アメリカについて聞かされた。そのうち彼女の胸の中にくすぶっていた外国願望がふきだした。

「やっぱり、外国に住んでみたい」

休暇をとり、英国にまず下見のつもりで行くことに決めた。しかし行ってみて彼女はがっかりした。ロンドンの街は活気がなく、彼女の想像した外国とははるかにちがっていたからだ。

「夢やぶれてロンドンから帰ってきたんです。それでまた、同じ美容室で働いてたんです。そして、そうね二、三年すぎたかしら。やっぱり、どこか海外にいってみたいと再び強く思うようになったの。私は、その頃、独身主義だったの。結婚するよりひとりで何でもやりたいという気持ちが強かったのよ。ある日ふと、例の美容室にきていたアメリカ人の婦人の言っていたことを思いだしたんです。そうだ、ロンドンがだめならニューヨークがあるじゃないかって」

宮崎さんはその頃、美容室の責任者になっていた。ボスにたのみこみ、三ヶ月の休暇をもらい、観光ビザでニューヨークに入った。もちろん三ヶ月で帰る予定だった。

彼女は、ハサミの手をとめた。

「ケネディ空港に降りた時のことを今でも忘れないわ。ザワッと鳥肌がたったの。私が住みたいと思っていた外国は、ここだったのよ。ここよって」

彼女は半袖のブラウスからでている腕をさすった。思いだしただけで鳥肌がたつようだ。

「そんなに気にいったんですか。空港におりただけで」

私が念を押すようにいうと彼女の顔がパアと明るくなった。そして歌いあげるように言った。

「I LOVEよ。ニューヨークに恋しちゃったのよ。I LOVE NEW YORK!」

ニューヨークこそ、彼女が夢みていた外国だったのだ。

彼女はおそどまさこさんの本を片手に、長期宿泊者のための安ホテルなどを探した。

私はこの時期に彼女と会ったようだ。

観光ビザは三ヶ月である。彼女はビザのきれる前に英語学校をみつけ、学生ビザにきりかえた。彼女は自分は西荻窪の美容室の責任者で特別に休暇をもらってでてきていることなど忘れてしまった。

昼間は英語学校に通い、夜は週二回、マージャン屋でウェイトレスのアルバイトをしながら生活費をかせいだ。一日四十五ドル、いいアルバイトだった。

「毎日、エキサイトしてたわ。その頃、英語学校のクラスメートのイラン人と恋におちて……」

そうか。その人と結婚したというわけだ。私が一人で納得していると彼女は首を横にふった。

「二人ともカッカしていて結婚しようということになったのね。でも、イランではパリからホメイニ師が帰ってきたところで、学生たちが国づくりのために母国に帰りはじめていたの。それで彼も国にもどっていったんです」

彼女を追って彼女はヨーロッパまでいった。そのあと二人で日本で暮そうかと日本に一時もどったこともあった。しかし、感情だけでは結婚に到達できないことに気づき二人は別れた。

一九八〇年、宮崎さんは、恋の逃避行をおえ、再びニューヨークにもどることになった。そのまま日本にとどまってもよかったのだが、ニューヨークへの思いをたちきることができなかった。今度は学生ビザで入国した。

今度日本に帰る時は二度とアメリカにこられないことを覚悟しての入国だった。アメリカの美容師のライセンスもとった。日本人経営者の美容室などで働きはじめた。

彼女の話をききながら腕に職のある人は強いと改めて感じた。特に美容師という仕事は、ハサミ一本あれば、どこの国にいっても仕事ができる。看護婦という仕事も手に職の仕事だが、どこの国でも働くというわけにはいかないだろう。技術があっても言葉ができなくては仕事が容易ではないからだ。その点、同じ手に職でも美容師は言葉をあまり必要としない。彼女も美容師の資格をもってなかったら、ウェイトレスをやらなくてはいけないところだった。

「グリーンカードは持っているの」

私が半信半疑で尋ねると彼女はこう答えた。

「今は持っているけどその当時はもっていなかったわよ。でもこの国って不法滞在でも、国外にでなければずっといられるんですよ。だからグリーンカード持ってなくても別に私は平気だった。ほら、この国って、移民で構成されてる国でしょ。だから移民に対して大らかなんですよ。私はそう思うな。グリーンカードをとるために偽装結婚する人たちがいるけど、私はそういう方法でとるのは嫌だとずっと思っていたの。居続ければ何とかなると思っていたのよ」

ということは、一九八〇年以降、つい最近まで、彼女は一度もアメリカ国内から外にでていないということになる。

現在グリーンカードを持っているということはアメリカ人と結婚したからだろう。やはり、アメリカに合法的に永住するには国際結婚しかないのだ。

私がそういうと彼女は首を振った。

「ちがうんですよ。国際結婚したからじゃないの。そうじゃなくてちゃんとグリーンカードがもらえたの。私ね、神の助けってつくづくあると思った。だって、そうとしか考えられないでしょ。グリーンカードがもらえるなんて。みんなグリーンカード一枚もらうために高い弁護士雇ったり、裏金つかったりしているわけでしょ。それなのに私は何にもしないで手に入ったんですよ。神の助けよ」

「どうやって」

彼女の声ははずんでいる。

「アムネスティのおかげよ。一九八二年一月以前に入国した者でそれまで一度も国外に出ていない者に対し、無条件で永住権を交付する。アムネスティの努力のおかげで、そういうことになったのよ。アメリカに居続けて本当によかった。アメリカを信じていて本当によかった。神っていると思ったわ。永住権をもらいにいった日、その足でツーリストにかけこんで日本行きの切符を買ったの。うれしかったわ、本当に」

アメリカはやっぱり自分が信じていた国だ、と彼女はその時確信した。グリーンカードさえあれば正々堂々とアメリカで暮していけるし、アメリカ人になることが可能なのであるから。

私は、てっきり結婚してグリーンカードがとれたものだとばかり思っていた。話って聞いてみないとわからないものだ。

一九八〇年からずっと彼女はハサミひとつで、生計をたててきたことになる。現在の場所で仕事をするようになったのは三年前からである。家賃は一ヶ月千ドル。もちろんシャンプー、パーマ液、その他備品は自分もち。彼女の客は九五パーセント、アメリカ人である。多くの日本女性のように、アメリカに来て、アメリカの中の日本で彼女は暮していない。

一九七八年、ケネディ空港にポンと降りたち、ニューヨークにＩＮ ＬＯＶＥしてから約十年。彼女はすっかり、こっちの人になってしまったわけである。彼女の顔の表情から、未だにニューヨークにＩＮ ＬＯＶＥしていることがうかがえる。

「じゃ安定した毎日ですね。アメリカ人の御主人と結婚しているとなると、英語も相当上手なんでしょうね。英語が一番生かせるところって国際結婚じゃないかと私思うの。そう思わない」

私は鏡の中の彼女に尋ねた。すると、彼女は、あいまいに笑ってみせた。

「彼、アメリカ人じゃないのよ。エジプト人なの」

エジプト人？　ニューヨークは人種のるつぼ。エジプト人といってもアメリカに住んでいればアメリカ人だ。しかし珍しいことは珍しい。今回の取材で何人か国際結婚している日本女性に会ったが、皆が皆、いわゆる白人と結婚していた。白人といってもワスプではない。ユダヤ人が圧倒的に多かった。

日本人女性とユダヤ人男性は相性がいいようだ。ユダヤ人は教育熱心で勤勉、家族を大事にする、あらゆる点で日本人と似ている。それに、いくら日本人は優秀な民族だ、経済大国だとはいえ、アメリカ社会に入ってしまえば、黄色い人種の一つでしかない。

私たちが白人をみて、みんな同じに見えるように、彼らにとって、イエローはイエローなのである。人種差別は嫌なことだが、事実は事実である。だからというわけではないがワスプと日本人女性のカップルは非常に少ない。

しかし世間一般の人種観は別にして、個人が何人《なにじん》と結婚しようが、それは自由であり尊重すべきことだと思う。その人の人生なのだから。

彼女は彼のことについてポツポツと話しだした。

「年下なのよ、私の彼、十三歳も年下なの」

彼女は私の反応をためしているようだ。私は驚いたふりをみせなかった。少しは驚いたが、国内でも小柳ルミ子さんをはじめ、最近、団塊の世代の女性と年下の男性という組み合わせは意外と多い。私自身もおじさんより年下の方に魅力を感じているぐらいだ。

「私の友人でも最近結婚する女性はみんな年下よ。いいんじゃない。十三歳ぐらい年下でも……」

それは私の本心だ。

「で、彼は何をしているの」

会社員、それともセールスマンかしら。私が答えをまっていると、彼女の口から意外な言葉が返ってきた。

「ホットドッグ売っているの」

「ホットドッグ？　露天で売っている、あのホットドッグ？」

彼女は笑っている。

「ええ」

私は街角でホットドッグとコーラを売っているお兄ちゃんたちの姿を思いだした。五番街や六番街の角には必ずいる。観光客相手のホットドッグ売り。あの人たちの中の一人が彼女の御主人だなんて。職業で人を区別するわけではないが、私は正直いってびっくりした。

彼と彼女のそもそもの出会いは去年の六月、ニューヨーク市立図書館の前だった。彼女は日本の本を貸りるためにひんぱんに図書館に通っていた。彼の仕事場はその図書館の前だった。彼女が通るたびに、ホットドッグ屋のお兄ちゃんは彼女に声をかけた。

「今度、お茶を飲まないかって。いつも誘われたの。最初はしつっこくて嫌だなあと思っていたのよ。ホットドッグなんか売ってる人なんて、嫌じゃない」

彼女の目は笑っている。

「そんなあなたがどうして、ホットドッグの人と……」

つきあうならともかく結婚までも進むとは。

「ビックリしたでしょ、彼のことについては私、人を見て話すことにしているのよ。だって、そりゃおどろくでしょ。で、ある日、またいつものように図書館にいったの。そしたらいつもいる場所に彼がいないのよ。なんかふと気になったのね。どうしたんだろう。病気にでもなったのかしらって。あんなに熱心に声かけてくれたのだから、一回ぐらいお茶飲んであげてもよかったのにって」

私は思わず笑ってしまった。

何日かすると、また彼が同じ場所にホットドッグのお店をだしていた。彼は相も変らず彼女にプリーズ、プリーズといってお茶をのむことを懇願した。

じゃ、一回だけ食事でも一緒にいきましょう、ということになった。彼女は約束の日、お店が終る六時にむかえにくるように彼に伝えた。

当日、彼女はお店で客のカットをしながら、なにげなく通りに目をやると、彼がウロウロしながら待っているではないか。時計をみるとまだ四時。約束の時間まで二時間もあるというのに、もう来ているのだ。

「かわいいわね」

私が心からそう言うと彼女は笑った。母親のような笑顔だ。

「そのころ、ちょうど、日本のエリートサラリーマンにうんざりこいてた時だったの。あの人たちって東大でてるかしらないけど、人に対して思いやりがぜんぜんないでしょ。それに男としての気迫がまったくない。ただ勉強できて、つったってるって感じ。人間としての魅力にかけているでしょ。もうがっかり。学歴なんか何よ。あほんだら。ちょうどそう思ってた時だったの」

だから彼の素直さがとても人間らしく彼女には感じられた。カニを食べにいった。二人になってみると彼は路上でみるのとちがい、礼儀正しい、自分の考えをもった好青年だった。彼は日本人の男には欠けているいたわりの心を持っていた。

「イスラム系の男って、男としてのふるまい方を知っているのよ。それもオールドファッションではなくて。食事をしていて私、この人が好きだなって感じたの」食事代はもちろん彼が払った。

彼は、エジプトではお店をはって商売をしていたということだ。それがちょっぴり彼女にとって救いだった。

子供が生れたら結婚届をだすつもりだが、現在はお互いに、独身時代のままの生活を続けている。彼女にとって正式な手続きや、世間から夫婦として認められることなどさして重要ではないのだ。

くだらない質問とは知りつつ、私は彼女に国際結婚のとまどいはなかったか聞いてみた。

彼女はぜんぜんという顔をした。

「結婚って相性だと思う。何人《なにじん》だって関係ない。日本人じゃなくちゃいけないってことはないと思うのね。かえって血が混った方が頭のいい子が生れるからその方がいいかもしれないなんてね。私って人種に対するこだわり、まったくもってないんですよ」

彼女はあっけらかんとしている。おそらく彼女は経済的にも精神的にも自立しているから、人種に対してこだわらずに、生きていけるのだろう。だから人種なんかと吹きとばせるのだ。正直いって、いくら人種差別のない人でも、いざ結婚となると、考えてしまうものだ。

私は今回、白人と結婚した三人の日本女性に会った。彼女たちは三十代半ば、共に結婚歴十年未満、幼稚園に通う子供をもつ母たちである。白人と一緒になったからといえ、国際結婚はむずかしい。結婚の動機は何にしろ外人と結婚したことについて後悔していないか、正直なところ聞いてみた。

三人とも言ったことは、結婚した時は好きだから一緒になったので、後悔どころかうれしかった。外人と結婚したのは、たまたま好きになった男性が外人だったというだけのことで特別なことをしたとは思っていない、とのことだった。

おそらくそれは本音だろう。外人と結婚することがどういうことか。彼の両親の老後の面倒をみる問題、彼の家族、親戚間の問題、また、日米間に戦争でもおきたらどうするか。

そんなことを考えていたら国際結婚など、できない。結婚の決め手は「愛」だと思う。しかし、彼女たちは私にこうも打ちあけた。

「結婚する時には何も抵抗ありませんでした。でも妊娠したと知った時は、ものすごくおちこみました。ああ、もしかしたら私はとりかえしのつかないことをしているのではないかと。子供ができるということは決定的なことですものね。大きなまちがいをおかしたんじゃないかと悩みました。本当に……」

また、研究者の妻をしている彼女は私につくづくというように言った。

「日本に帰りたいです。彼のことは好きですよ。でも、アメリカが嫌いなんです。私、英語もしゃべりたくないんです。英語という言葉、響きも嫌い。彼とですか。英語です。でも私、あまりしゃべらないんですよ。子供とは日本語です。英語をしゃべっている自分がバカっぽくて。英語ってとても内容のない言葉だと思います」

彼女は、おそらく結婚したことを後悔しているのだろう。夫は英語しかしゃべれないのだから、最初は一生英語で生活してもいいという気持ちはあったはずだ。アメリカが嫌いになりその国の言葉である英語に興味がなくなる。そしてしゃべる気もなくなる。彼女はアパートの住人にメイドとまちがわれることが多々あるという。私は彼女に、何といっていいかわからなかった。

しかし宮崎さんは、同じ国際結婚組でも彼女たちとちがうような気がする。四十三歳にして子供を生む機会にめぐまれたことに、彼女は心から感謝している。彼女は自立した女だ。仮に夫に何かあっても、彼女の人生は変らないだろう。

彼女はアメリカを愛している。もしいつか日本に帰りたくなることがあったら、子供をおぶって、さっさと帰るだろう。そして、また西荻窪の美容室で働いているにちがいない。彼女には真の生きていくたくましさを感じる。

とかく、英語をしゃべる私が好き、外人の夫をもっている私が好き、外国に住んでいる私が好き、という感覚で国際結婚している女性が多い中で、彼女は確かにちがっていた。

「子供ができて、それはいろんな問題がでてくると思いますよ。でも、そんなのヒューマンビイングでやればなんとかなると思うの。実はね、けさ、ふと思ったんです。人生って旅だなあって。私は常に旅をしているんだって。そして私は今、エジプトの旅をしているんじゃないかって、そんな気がしたの。これからどこを旅するのかしらないけど、私は心配事より好奇心の方が強いの。そうでしょ。たかが小さな地球の上で、外人とか、外国とかそんな風に区別するの、ばからしいと思わない」

彼女の目は輝いている。私の髪のカットはほとんど出来上ったようだ。ハサミはさっきから止ったままだ。私たちは鏡の中で会話している。

宮崎さんは体も考え方もビッグだ。私は彼女の話を聞きながら、国際結婚の中味もずいぶん昔とは変ってきたなあと感じていた。

国際結婚といってまず思いうかぶのは、戦争花嫁たちである。日本が高度経済成長をとげるまで国際結婚には、暗いイメージがつきまとってきた。また外国に簡単にいける時代でなかったこともあり、国際結婚は女性にとって国をすてることをも意味していた。戦後四十年、国際結婚の言葉からインターナショナルでインテリ女性のイメージを人が思い浮かべるようになったのは、ここ十年ぐらいのことである。外人と結婚することに優越感をもっている人さえいる。英語のできる女性たちは日本の男性にどこか野暮ったさを感じ、スマートな外人と結婚することをのぞむようになった。美人で頭のよい仕事のできる女ほど外人と一緒になる、という傾向があることも事実だ。いや日本の男性に相手にされないからだという人もいるが、そうとばかりはいえないと私は思う。

海外旅行が日常化した。世界のニュースをお茶の間にいながらにして聞ける。航空運賃は安くなった。外国は年々、近くなっている。国際結婚している日本女性の意識も昔の人とは比べものにならないほどちがってきても当然である。

私が今回の取材でおどろいたことは、国際結婚している彼女たちに、異国にいるという自覚がないことである。

彼女たちは、母親に毎日のように国際電話をかけ話をしている。何かあれば、日本に帰ればいいと思っている。彼女たちの心に悲壮感もなければ、さしたる責任感もない。他の国からアメリカにお嫁にきている女性とは心がまえがちがう。とても軽く考えている。それは悪いことではないが。

経済大国日本。彼女たちの心にもゆとりがある。「帰れる」ということは国際結婚した女性たちの心の支えになっているのである。

「自分と子供たちの飛行機代は、いつも、クローゼットの中においてあるわ」

ある女性は言っていた。もし、昔のように行ったっきりかもしれないと思えば、いくら彼のことが好きでも外人と結婚までは考えなかったかもしれない。

さしずめ現代の国際結婚の精神安定剤は、成田行きの切符といえそうだ。

「夫に万が一のことがあったらどうするつもり」

その質問に三人とも間髪をいれずにこう答えた。

「日本に帰ります」

「じゃ、万が一、あなたが先に死んだら子供たちは?」

一人が答えた。

「彼は私の日本にいる姉に育ててもらったらどうかといっているの。お姉さんは君に似ているし、日本人に育ててもらう方が子供たちにとってもいいんじゃないかって。経済的援助は彼がするといっているわよ」

それぞれの家庭のことだから他人の私が口をだすことではないと思うが、国際結婚のむずかしさを感じてしまう一言である。

宮崎さんのようにニューヨークに住むことが第一目的で、そのあとにというか付属として国際結婚がある人と、外人を好きになったから結婚し彼の国であるアメリカに住んでいる人とは、根本的にちがうような気がする。

英語という言葉に対してもそれは現われている。

私が先に会った日本に帰りたいといった人以外の二人の女性は、外人ぽい英語を話す。文章でうまく表現できないが、外人のよくつかう言いまわし、イントネーションをうまくマネした英語をしゃべる。

メロディ的にサウンド的にアメリカっぽい英語。ジャズ歌手の阿川泰子さんのようなムードをうまくとらえた外人ぽい発音。大橋巨泉さんの英語のように、発音はメチャクチャ、ジャパニーズイングリッシュだが、自分の考えはきちんと伝えることができる、という英語ではない。

大橋巨泉など比べものにならないほど、ネイティブっぽい。しかし、悲しいかな小さい時にアメリカで育った帰国子女ではないので表現には限界がある。日本語で考えていることをそのまま英語で、というわけにはいかない。つまり彼女たちは決してバイリンガルではないのだ。

しかし、電話で近所の奥さんとしゃべっているのを聞いていると、英語を使っている自分に満足感をおぼえているのだろうなあということがこちらに伝わってくる。

英語をしゃべって暮しているということは彼女たちの支えになっていることだけは確かだ。もし夫が日本人で彼女が日本語でしゃべっているとしたら、その人はアイデンティティを失うのではないか。そんな気さえした。

「英語、話すのは苦じゃないですか」

私がバカな質問と思いながらも彼女たちに聞くと、三十五歳の彼女はこう言った。

「私って、耳がいいみたいですよ。人よりも言葉をピックアップするの早いようね。まちがった表現すると、彼が直してくれるんです。彼も妻にきれいな英語を使ってほしいみたいですね。私英語で寝言いってるんですって」

子供とも会話はすべて英語である。たまに日本語でおこったりすると気がぬけてしまうという。

「日本語って、やさしい言葉なんですね。子供に英語でおこると、子供が『ホワット』ってつっかかってくるけど、日本語でおこると子供の反応もおとなしいのよ。なあにって感じで。言葉って不思議ですね。英語って、きつい言葉なのかもしれないわね」

彼女が私と日本語でしゃべる時、彼女はとてもふつうの平凡な一人の三十代の女性である。が、英語になると、とたんに個性的で自信ありげな女性に変貌する。彼女たちは、英語が好きなのだ。本人は意識はしてないが、英語を話す自分に自分の存在観をみつけているのではないだろうか、と私は思った。

私は英語について同じ質問を宮崎さんになげかけた。

「十年もアメリカにいたら英語の方はペラペラなんでしょうね。それに、こっちの人と結婚しているんですもの」

すると彼女は肩をすぼめた。

「ぜんぜんペラペラじゃないわよ。私の英語は生活に困らない程度の英語なの。あまり上手じゃないんですよ。それに私、英語をネイティブみたいにうまくなろうと思っていないの。英語は私にとってあくまでも生活の手段でしかないんです。よく、こっちに住んでいる日本人で、巻き舌使ってネイティブっぽくしゃべる人がいるでしょ。ああいうのみるとむしろ嫌味に感じるわね。軽そうにみえるわ」

彼女は一拍おいた。

「それに、国際結婚しているからといって、彼はこっちで生れた人じゃないし、彼、私より英語に問題があるのよ、でもへたな英語でもコミュニケーションとれればいいことなのよ。私はそう思うな。なにも、ビシッとした英語ができなくてもいいのよ。人間同士なんだもの、通じればね。彼がしゃべる時、彼がこの単語つかった時はこの意味なんだって。慣れでいいたいことがよくわかるの。英語の発音とか表現とか英語そのものにこだわっている人がいるけど、英語が先にくるものじゃないと思う。だから私は英語なんかちっともうまくなろうと思ってないのよ」

その国の文化に興味をもつ。そこに住む人に興味をもつ。その人とコミュニケーションするために英語が必要。だから英語を勉強する。必要だから話す。

あくまでもコミュニケーションの手段、生活の手段、と彼女は力説する。

グリーンカードがとれてから、彼女はフロリダに小さな土地を購入した。子供もできる。ふつう出産するのに五千ドルかかるが千ドルでやってくれる病院もみつけた。彼女らしい。実にしっかりしている。生活にもおちつきがでてきた。将来の設計がやっとたてられるようになった宮崎さんだ。

「子供ができたらお店はしばらく休まなくてはならないわね」

私が心配して聞くと、彼女はケロリとした顔で答えた。

「五ヶ月ぐらい休んでもいいぐらいのたくわえはしてあるのよ。私、家賃が安いところに住んでいるから働かなくても生活費あまりかからないの」

見栄をはらず地についた生活をしている彼女だ。彼女が見栄をはるような人だったら、私に、私の夫はホットドッグ売りですとはいわなかったはずだ。私だったら、言えるだろうか。たとえ人間的に立派な人で尊敬していたとしても、他人に堂々ということができるだろうか。なかなかできるものではない。

彼女はその点すごい人だ。しかし彼女にもそのことについては悩みがある。

彼女のお腹を見て、客は当然、こう質問する。

「結婚したの。おめでとう。それで、彼は何をしているの」

宮崎さんは思いだしたかのように、クックと笑った。

「いくら私でもお客様に私の彼は露天商ですとはいえないですよ。もちろん私のことを理解してくれる親しいお客さんには本当のことをいいますよ。そんな時、私はこういうふうに答えるのよ。…… Well, he is not a doctor, not a lawyer, …… his business is not fancy …… but he is doing good」

客はそれ以上聞かない。ひや汗タラタラである。

「露天商が悪いわけじゃないけど。彼にこの仕事を一生してほしくないとは思っているわよ」

彼女は笑いながらポケットから名札のようなものをとりだした。

「何、それ？」

私は彼女の手の中をのぞきこんだ。

それは、ニューヨーク市が発行している、露天商の許可書だった。彼女の写真と名前が入っている。

私は、なんだかほほえましくて笑ってしまった。彼女は少しテレている。

「ホラ、彼の店を手伝わなくちゃならないこともでてくるでしょ……」

ビートルズに英語を学び、外国生活にあこがれ、ポンとケネディ空港にとびおりて十余年。彼女は今、アメリカ人になりつつある。

第七章　外人なんか大嫌い

ある女性の独白

彼女のプロフィール
私大英文科卒、四十歳、独身。短期アメリカ留学経験有。大学卒業後、転職を数回重ねた。現在、中堅広告代理店に勤務、翻訳など英語に関する仕事を担当している。仕事に不満はないが、英語が好きだったことにより、人生のタイミングをのがしたのではと思っている。
（以下、彼女が電話で語ったこと）

私、最近、英語しゃべるのとっても嫌なんです。仕事では仕方がないので使いますけど、それ以外は、まったくしゃべる気がしないんですよ。

自分でもどうしてかと思うぐらい、英語が嫌いになっちゃったんです。昔は英語をしゃべるのが大好きだったのに……本当にどうしちゃったのかしら。

外人なんか大嫌い！　英語をしゃべるのが嫌いになったってことは、外人が嫌いになったってことなんです。

外人のすべてが嫌というか。外人のあの合理性。なぜ？　なぜ？　何でも説明しなくちゃ通じない。それに外人の肌の感触。

昔、あの肌にさわったかと思うと気持ちが悪くて消毒したいぐらい。ウフフ。笑っているけど冗談でいってるんじゃないんですよ。外人の人が聞いたら気を悪くすると思うけど本当にそう思っているの。

昔は、あんなに英語をしゃべることも外人も好きだったのに……どうしてこんなに急に嫌いになっちゃったのかしら。たぶんこういうことだと思うの。若い大事な時を外人にふりまわされてしまった自分がくやしくて、今、無意識のうちに外人にしかえししているんじゃないかって。

私ね、多くの英語が好きな女性が、外人に目がむいてたおかげで、人生のタイミングのがしたんじゃないかと思うんですよ。私もふくめてですけど。

……こう感じている女性、結構多いんじゃないかしら。

私が二十代の頃って、まだまだ外国も夢の国だった。日本にくる外人も少なかった。外人を街でみかければ「外人よ」と指さす時代だった。

外人がとてもステキに見えたんです。だから英語の好きな女性は日本の男性なんか目もくれなかった。

でも、なんであんなに外人がステキにみえたのかしらね。今考えると不思議だけど。でも、それって、多分に、英語の魔力のせいだったんじゃないかと思うの。

英語をしゃべっているだけで、相手がインテリで高級な人間にみえた。私に、言葉のコンプレックスがあったから、よけいに外人がステキに見えたのね。きっと。

もし、私が英語に堪能だったら、外人を見抜いてて、あんなには外人にひかれなかったと思うんです。外人だって、日本人と同じで、いい男もいればつまらない男もいるわけだから……。

それに、外人ってマナーもいいし、やさしいし、本当にステキにみえたのね。今の若い男性って、マナーを心得ていると思うけど、私の時代の男性ってぜんぜんだったもの。本当に、あの頃って、外人の男がステキで日本の男がつまらなく見えたのよ。

日本の男性と結婚する女性の気がしれなかったわ。何の自己主張もない、ただ人間が悪くないというだけの男なんかと一生暮すなんて、私には考えられなかった。

あんなにステキに見えた外人が、この頃、とっても田舎っぺに見えるんです。あんなにダサイと思っていた日本の男が、ステキに見えるんですよ。やっぱり日本の男性が一番いいって心からそう思うの。笑っちゃうでしょ。ついこの間まで日本の男性をバカにしてた私がこんなことというなんて。

どうして最近になって外国人より日本人の方がよく見えるのか。それは単に私の好みが変ったのではなく、これって、国の経済力と関係あるんじゃないかと思うのね。

アメリカにいって、すばらしい家を見ると、わあ、すごいと思うけど、日本もこのごろすごいでしょ。

昔みたいに、なんでもアメリカがすぐれているってことはない。日本だって、すばらしい建築のマンションいっぱいあるし、ファッションだって、車だって、日本の方が先をいっているでしょ。

ある意味で日本がアメリカを越したのよね。だから、アメリカに憧れなくなった。つまり、アメリカ人もステキに見えなくなった。ということじゃないかしら。

もちろん、未だにアメリカの方が国は豊かだと思うけど。もうアメリカから得るものってないでしょ。

アメリカ・イズ・ナンバーワンの時代からジャパン・イズ・ナンバーワンになった。国が豊かになるって、人の考え方、見方まで変えるのね。私、つくづくそう思います。もう、外人から得るところもないし、興味もないので、英語をしゃべる気がしないんですよね。英語が好きっていうことは外国人と話すのに興味があるってことでしょ。

何年か前までは、外人のお友達の家に集まってパーティしたりしていたけど、最近は、英語をしゃべる気がしないので、誘われてもいきません。それに、ろくな外人がいないので。

外人の男性が、自分とつきあってくれる。私はいい女なんだわと思ったら大まちがい。私はエリートサラリーマンとつきあっていましたけど。お互いに心からという感じではなかった。ふつう、まともなきちんとした外人は、日本の女の子とつきあいませんよ。日本の女の子とつきあう外人は、ろくな人でない。

エリートの外人は、外人クラブで同種類の外人の女性と知りあってつきあっているんですよ。それは、外人の中には、すばらしい人もいますよ。でも、そういう人は、結婚して奥さんと日本にきていますね。社会のレールからはずれた外人だけが、日本の女の子とつきあうんですよ。例えば英会話の先生とか……。

英会話の先生やっている外人なんて、むこうにいけば、ガソリンスタンドのお兄ちゃんでしょ。

それが、日本にくれば、先生としてチヤホヤされている。

私、ああいう外人みているとイライラするんです。電車の中の英会話スクールの広告みてると、嫌悪感さえ感じる。

英会話スクールもくだらん外人なんかつかって。外人も外人で何の専門知識もないのに、外人だというだけで大きな顔して……。

外人は、みんな国に帰れといいたいわ。

でも私たちの世代とちがい今の若い人たちは、外人をみても、ステキだと思ったりしないんでしょうね。外人を外人とみてないような気がするわ。

だって、最近は、ラジオからバンバン英語が流れているし。テレビでもCNNニュースをやる時代ですものね。

英語も外人もぐっと身近な存在。今のギャルたちは、外人にあこがれてなんかいないんじゃないかしら。

そういう意味で、私たちの世代って、過渡期だったんじゃないかしら。私ね、なんか、ひとつの時代が終ったような気がするんです。


ああ、外人より日本人の方がいい。そのことに気がつくのがちょっと遅かったわね。英語の魔力に長い間かかりすぎていて……本当に気がつくのが遅かった。

英語をやったデメリットといったら、このことです。

それは英語をやったおかげで得したことも沢山ありますよ。現に、今、英語で食べているわけですし。外国を知って、よかったことは多いです。

英語を勉強したことに後悔はしていません。むしろよかったと思っている。

でも、正直いって、英語をやったことによって、どっちつかずの人間になってしまったことは確かですね。あまり、認めたくないけど、そう思います。

私にとって外国は大きな存在だったわ。それが今、私の中で、どんどんしぼんでいく。外人も英語も私にとって、どんどん小さなものになっていく。

それに、四十にもなると、もう〝ハーイ〟と言えなくなったわ。


私は彼女の話を聞いていて、たぶんにうなずけるところがあった。

私も彼女と同世代の人間である。いわゆる団塊の世代である。私たちは渡航の自由化とビートルズの来日という二大イベントを学生時代に体験した、外国幕あけ時代の落し子でもある。

それだけ、他の世代の人たちとちがい、外国の存在は大きかった。外国の与えた影響力は大だった。

こんな言い方をしたら極端かもしれないが、英語に興味をもったかもたないかにより、女性の人生コースも二つにわかれたともいえるぐらいだ。

英語に興味をもたなかった女性は、平凡な結婚生活の方へ。一方、英語に興味をもった女性は、外国へ行くことに興味をもち、結婚という決まったわくにとどまらず、外へ外へ行動をおこしていった。

行動力があり好奇心のある女性は、外国に興味をもった。それにより彼女たちは多難な人生、よくいえばバラエティにとんだ人生を歩むことになった。

英語が好きということは、単に横文字が好きということではない。外人と話をしたいという欲望があるということである。先に英語があるのではなく、先に外国、外人への興味があるから、英語にもひかれるということではないだろうか。

英語を勉強すること、身につけることはいい事である。しかし、他の学問、例えば法律、数学、化学、歴史とちがい、英語は外国の言葉であることから、学ぶ人の人生を変えるほど多大な影響力を与える可能性を含んでいる。

私も彼女と同様、若い頃は日本ではなく、外国に目をむけていた一人だ。特に、どこかの会社に就職したい、何になりたいという希望をもっていなかった私の唯一の目的は外国にいくことだった。外国は私にとって何か刺激的で希望にみちあふれる存在だった。

大学時代、三ヶ国語会話ブックを片手に、ナホトカからヨーロッパ旅行に旅だって以来、私は外国にひかれ続けた。

英会話学校には、いつも通っていた。民間団体が主催する外人との交流会にも積極的に参加していた。

英語は、まったくといっていいほど上達しなかったが、外人とホームパーティのまねごとをしたり、グループで小旅行にいったり、外国にふれることに積極的だった。

英語はヘタだったが、外人と一緒にいる自分に満足していた。いえ、ささやかな優越感さえ感じていた。

よく、アメリカンセンターとか、米軍関係のところで働いている日本人の女性で、日本人に冷たい態度をありありととる人がいる。

外人の中で生活していると、日本人が低くみえるらしく、自分も日本人なのに、同人種を軽蔑する態度をとる人が多い。英語ができると自分まで白人になった気分にさせるのは恐ろしいことだが、英語にはそんな魔力がある。

私にも、そんな気持ちが多少あった。

私は、英語ができるというほどできなかったが、外人ともつきあった。今考えればなんであんなつまらない外人とつきあったのかと、穴があったら入りたい心境だが、当時の私は、外国にあこがれていたので、目に入らなかったのだ。

外人と二人でいる時は、メチャクチャな英語と、ボキャブラリーの数の少なさに、自分が幼稚園の生徒にでもなったように、萎縮しているにもかかわらず、外を二人で歩いている時は、ほのかな優越感を感じていたものだ。

「日本の男なんか、ダサクて、一緒にいてもつまらなくて嫌だ」

と真剣にそう思っている時期もあった。何なら将来、外国に住んでもかまわないと思っていた。

一人、ハーフのかわいい赤ちゃんが生れることを想像して、まんざらでもない私だった。

私は、おそらく、英語力があったら、もっと外国にひきつけられ、外国で暮していたのではないかなあ、と思う。

幸か不幸か、私は英語の才能がなかった。認めたくないが事実である。それに、今考えてみれば、ガソリンスタンドのお兄ちゃんではなかったにせよ、外人というだけでつきあっていたところがなきにしもあらずだった。

独白してくれた彼女ではないが、私も、私の中で外人の男と日本人の男を、たえず比較しているところがあった。日本人も外人もステキな男はひとにぎりだということを忘れ、「日本人の男ってどうしていい男がいないのかしら」とボヤいていた。

今考えると、なんと世間知らずのバカな女の発言だと思うが、二十代後半から三十代にかけての私は、外国がなんていっても一番だと思っていた。

私は英語をやり、外人の友達がいて、外国に詳しい自分を、どこかで、自分は進んでいるとカンちがいしていた。

単に西洋崇拝志向が強いだけだというのに。

私に限らず、日本女性の西洋崇拝志向は強い。アメリカに二十年住む日本人男性が、私にこんなことを言っていた。

「日本の女性の白人好きにはあきれる。東洋人で白人の男とつきあいたがるのは日本の女性だけだ。中国人の女性は白人とはつきあわない。同じ中国人の男性としか絶対につきあわない。白人と歩いているのはみんな日本の女性だ。日本の女性は英語と白人に弱い。なぜなのかわからない」と彼は首をかしげた。彼がいうには、アメリカの男性も、最初は珍しさから日本の女性とつきあうが、最後は金髪と結婚する。日本の女性は尻が軽いと思われている、ということである。

白人を好きになることは悪いことではない。外国にいったら外人とつきあいたいという気持ちはわかる。人種なんて関係ない、といわれればその通りです、と言わざるをえない。

しかし、日本の女性の中には他の国の女性と比べ、潜在的に白人崇拝志向があることは、まちがいない事実のようだ。

しかし、近ごろ、その傾向にも変化がみられる。

最近、東京の街を歩いて気がつくことは、日本人男性と外人女性のカップルが多くなったことである。昔外人と日本人のカップルといえば外人男性と日本女性と決まっていた。

十年前までは、ほとんどみかけなかった日本人男性と外人女性のカップル。このごろ、大変目につく。

ひと昔前まで考えられなかった光景である。金髪美人と遊びたい日本人男性はわんさといても、白人の女性を恋人にしたり結婚する勇気ある日本人男性は、あまりいなかった。長い間国際結婚は日本人女性の専売特許だった。

時代は明らかに変ってきた。

私は日本人男性と白人女性のカップルが誕生する背景には、経済の力学が働いているのではないかと思う。

つまり日本が経済力をもったということである。男女の関係は経済のバロメーター。

経済力のあるところに人はひきつけられる。経済力のあるものがリーダーシップをとる。日本は金持ちになり、日本の男も金持ちになった。言葉が悪いが、白人の女性を従える力をもったということのような気がする。

経済のしくみと男女の組み合わせの図というのはどこか一致している。私には単に国際化が進み、日本の男性も白人女性と気楽につきあうようになったとは思えない。もちろんそれもあるだろうが。

今、日本は経済大国になった。それと同時に日本人女性の白人男性ばなれが進み、白人女性における日本人男性人気が高まってきた。私にはそう思えてならない。国が力をもつということは、人間関係まで変えてしまう。

独白してくれた彼女がいうように、彼女が近ごろ外人にまったく興味がなくなったのも、日本が豊かになり、ある意味でアメリカを越したからだという見方は正しいのではないだろうか。

私もこのごろ、めっきり外国に目がむかなくなった。英語も話す気がしなくなっている。

昔あれほど好きだったニューヨークですら、今回取材で三年ぶりにいったにもかかわらず予定をはやめて帰ってきてしまった。

アメリカ人の友達も沢山いる。会えば食事をしながら楽しいひとときがおくれる。それなのに、私はガールフレンド一人に会っただけで帰ってきてしまった。

昔は、ヘタな英語でも、それなりに楽しかったのに、最近は英語を使うのも億劫だ。「英語なんかできなくていい。私は日本人なのだから、ヘラヘラと外人にいい顔する必要なんかない」

私は、心の中でやたらと抵抗している。それは自分でも不思議なぐらいのこだわり方だ。

あんなに英語も外人も外国も好きだったのに。私は確かに変った。何十年かけても英語がマスターできなかった、うらみの反動なのか。英語に対する愛憎の気持ちの表われなのか。外国が珍しくなくなってきたから、単にそんな理由なのかわからない。

ニューヨークからの帰りの飛行機の中で、となりに白人の男性がすわった。いつもなら、いろいろと話しだす私だが、今回の私は「失礼します。どうも」といっただけで、自分から話しかけなかった。

となりの男性も私の態度でわかったのか、それ以上、話しかけてこなかった。

私は一人で心の中で葛藤をしていた。「どうして、気をつかって英語で話さなくてはいけないの。私はリラックスして帰りたいの。でも日常会話ぐらいできるんだから、おしゃべりぐらいしたらいいのに。なにも、かたくなになることないじゃないの。どうってことないわよ。昔は、自分から話しかけて、知ってること教えてあげたりしたじゃないの。でも、私、今、話したい気分じゃないの」

疲れた。もうよそう。英語のことについて考えるのは。

私は目をとじた。

すると大きな夢をいだいてニューヨークへ飛びたった若き日のことが昨日のことのようによみがえってきた。

第八章　英語は主婦の味方です

英語産業は今や三兆円ビジネスといわれている。東京二十三区内にある英会話学校だけでも約一万二千校。まだまだ増加の傾向にある。我が国の英語学習ブームは、とどまることを知らないようだ。しかしその一方では女子学生の英文科離れという異変が起きていることも見逃せない。一九八九年六月五日付の読売新聞に次のような記事がでていた。

〝急増する法学部の女子学生〟

「機会均等の扉を開き、多彩な活動を始めた先輩たちの姿に刺激され、女子の大学進学状況が大きく変ってきた。就職に有利という理由から、法学部を中心に経済、経営など社会科学系の学部に入学する女子が急増。一方、文学部あるいは女子大離れが進みつつあるのだ」

記事によると、女性たちは従来の文学部をでて二、三年社会にでて家庭にはいるというパターンに反発。キャリアをめざした学部選びをするようになったということだ。そのために英文科などの教養を身につけるための学部の人気が年々おちているという報告である。

女子の文学部離れが始まっている。学校で学んだものが資格となりやすい法学部、工学部、医学部へ女子の目もむきはじめている。女子も男子と同様に仕事を一生のものとして考える場合、これは当然の選択だろう。

英語を生かしたい、英語が使える部署に配属されたい。社会では相変らず英語にこだわる女性が多い中で、若い世代の人たちは、しっかりと企業の現実をみて、専攻を選んでいることがうかがえる。これはすばらしいことだ。

しかし、私はこの現象を手離しでよろこべない気もする。たとえ、彼女たちが就職に有利な大学の学部を卒業し、一流企業に就職したとしても、男たちと同じように一生、働き通すことができなかったら専門を身につけても意味がないからだ。

入社したものの、結婚、出産で辞めてしまえば、文学部にいっても変らなかったことになる。むしろ英文科に進み、語学力をつけておいた方が主婦になってから役立つということも考えられる。

私は、ふと思った。今まで、英語というものを企業社会の中で武器になるのか、その面からばかりみてきたが、企業で一生働いていく女性がどれほどいるのだろうか。

個人の能力とは別に、女性が結婚、出産、子育てをしながら、企業人として働き続けることには難しいものがある。

夫が協力的、両親が子供の面倒をみてくれる、妻が働ける環境にある恵まれた女性は別だが、ほとんどの女性にとって、出産後も働き続けることは、物理的、精神的にかなり無理がある。

結婚した女性が、二者択一をせまられ職業をあきらめなくてはならないことは非常に残念なことだが、多くの女性にとってそうせざるをえないというのもいつわらざる事実である。

一九八九年、六月二十二日付の朝日新聞によると、女子中高生の大学短大などへの進学希望は男子並に高いが、三十すぎて職業人でありたいという女子は四人に一人しかいないという文部省が行った調査結果が報告されていた。これは女子の社会進出とは裏腹に、若い女性の専業主婦願望が強いことを表している。

本当の意味のキャリア志向の女性が増える一方で現実に専業主婦志向の女性も増えている。今の若い女性の間では、生き方がはっきりと二極化しているようだ。

私は、女性の仕事を考える時、企業人として働くことだけを考えるのは、片手おちだと思った。

女のライフスタイルは明らかに男とちがう。男は仕事を一生のものとしてとらえることができるが、ほとんどの女にとって、それは不可能である。子育てが終ってからの再就職のことをぬきにして女性の仕事について語れないのではないだろうか。真剣に考えるべきことであると思うのだ。

子育てが終ってから、どんな仕事ができるのか。

それが女性と仕事を考える時、大きな問題だ。女性は結婚したら仕事をやめ家庭に入った方がいいといっているのではない。いったん家庭に入り再び仕事をするというパターンこそ、多くの女性たちの望むところなのではないだろうか。だから、再就職の問題こそ女性の仕事を考える上で大事な問題だといいたいのである。

就職——結婚——退職——出産——子育て——再就職

最近は昔とちがい子供の数も減っている。家庭内はすべて電化されている。主婦は、早めに子育てから解放される。子育てが一段落するのが三十五歳から四十歳。この先遊んで暮すには長すぎる人生だ。再び働きたいというのは、結婚した女性の自然の欲求である。

その時、どんな仕事があるか。何ができるか。その時、資格が生かせるか。法学部へ行った方がよかったのか。英文科へ行っていてよかったかということではないだろうか。つまり、その時、英語は武器になるのかということである。

私は、この本を書くために、英語ができる女性たちに数多く会ってきた。外資系企業でバリバリ働いている女性、日本企業で英語を生かして働いている女性、生かせないでイライラしている女性。英語の前に、専門、ビジネスセンスが必要であることを見せつけられた。英語のスペシャリストになることの難しさも知った。

企業社会の中で英語ができるということは、マイナスにはならないが、必ずしもプラスアルファーというわけにはいかなかった。つまり英語は企業の中では決定的な武器にはなりえないものだった。

英語なんか一生懸命やるより、専門を身につけるべきだ。取材を進めながら、私は強くそう感じていた。しかし、取材を進めるにしたがい、まてよ、そう簡単に結論をだせないのではないかと考えるようになった。

英語を企業人としてのキャリアとして考えるから、武器にならないので、再就職の道具として考えた場合は、どうだろうか。私はこの点について考えるのを忘れていた。

主婦が再び仕事をはじめようとする時、英語は役に立つのだろうか。

一年前に私は大学を卒業してから十年目の女性たちが、どんな仕事をしているのか、というレポートを「日経ウーマン」という雑誌に連載したことがある。

その時、私が改めて気がついたことは、女性の八割が三十までに結婚する。そして、教師になった人をのぞくほとんどの女性が結婚を機を仕事をやめているという現実である。現在、彼女たちが働いているにしても、それは卒業時の就職先ではなかった。つまり、再就職のことを語らずして女性の仕事について語れない、ということである。もしかしたら英語は、案外、主婦の第二の職業につく時に役だっているのかもしれない。

主婦にとって英語ができるということは、どんな意味があるのだろうか。

私は英語のできる主婦の仕事状況を知るためアンケート調査を行った。アンケートの対象者として、英文科卒で現在、三十五、六歳の女性を選んだ。

三十五、六歳といえば、ちょうど子育ても一段落し、仕事をしたいと思っている人は働き始めている時期である。

英文科を卒業した女性で現在、三十六歳の女性が、どんな仕事についているのか。また英語は生きているのだろうか。

断っておくが英文科を卒業した女性が必ずしも英語ができるとは限らない。他の学部をでた人で、英語が堪能な女性もいる。しかし、英文科の女性の動向をみることにより、全体的な英語ができる人の傾向をみることはできるはずだ。

英語ができる主婦は、英語を専門としない主婦と比べ、第二の職業を得る際、何かちがいがあるだろうか。それともそういうことは何の関係もないことなのだろうか。英語ができる主婦と他の主婦との差をみるために、国文科など他の文学部の卒業生にもアンケートを送ることに決めた。

まず、今回の調査で選んだ学校は、上智大学外国語学部英語科と昭和女子大学英米文学科の昭和四十九年度の卒業生。上智を選んだ理由は、女子の英語科ではトップクラスに入ること。英語のできる女性のあこがれの学校であること。東京周辺に在住している人たちが多いことなどである。上智を調べることによって英語ができる都会派の主婦たちの姿が浮きぼりにされると思ったからだ。

昭和女子大を選んだ理由は、地方出身者が多い大学だからだ。英語のできる女性は地方でどんな仕事についているのか、東京の主婦との間に差があるのか、それをみることができると思ったからだ。

また、対比するために、同大学の他の文学部の卒業生にもアンケートを送った。アンケートを送ったところは上智大学文学部国文学科と史学科、昭和女子大学の国文科。

アンケートの内容は次の通り。

一、現在結婚してますか。
　子供はいますか。
二、大学卒業時の就職先。
三、現在仕事をしていますか。
四、あなたは英語を生かした仕事をしていますか。または、あなたは大学で学んだことを職業に生かしていると思いますか。
五、仕事をしていない方、再就職の意志はありますか。

それぞれの学部の卒業生百名ずつ、計四百名にアンケートを送った。

その結果アンケートに回答してくれた人、九十一名。二三パーセントの回答率だった。卒業してから約十五年という長い歳月がたっているわりには良い回答率だったといえる。

上智大学英語科について、まず数字で報告すると次の通りだ。

アンケートに答えてくれた人、二十名。
そのうち結婚している人十八名。
既婚者十八名のうち現在仕事をしている人九名（フルタイム五名、パートタイム四名）。
残り九名は専業主婦。
つまり、全体のちょうど半数が仕事をしており、半数がまったく仕事をもっていないということになる。
英語科に限らず上智大学の卒業生の就職先はいいときいているが、彼女たちの十五年前の就職先をみてもそのことがわかる。ソニー、日本航空、三井物産などなど一流企業がズラリと並んでいる。
しかし、現在でも最初に就職した企業に勤めている人は二名しかいなかった。いずれもスチュアーデスである。あとの人たちは、結婚、出産により退職、卒業時の就職先とはまったくちがう仕事についている。
既婚で仕事をしている九人の職種の内訳は次のとおりである。
英語塾の先生、英語の家庭教師　五名
スチュアーデス　二名
フリーの翻訳　一名
英語教師（非常勤）　一名
この結果から現在、子育てをしながら働いている主婦の全員が英語を生かした仕事についていることが、はっきりとわかる。つまり、英語を教えるという仕事を第二の職業に選んでいる女性が多いということだ。

その中で一流企業に就職し結婚退職、現在、英語教室を自宅で経営している女性はこういっている。

「企業にいる時は英語が生かせませんでした。でも結婚してからは英語ができることでずいぶん得してます。今は子供がいるので、とても外で働くことは無理です。ずっと何かしなくちゃとあせっていました。英語教室なら自宅でもできるし……自分の生活の変化にあわせて可能な限り、私はフレキシブルに仕事を選んで続けてます」

彼女の言うとおり、いったん結婚してしまうと、自分の意志だけで物事をきめにくい状況がおこる。家族は共同体。相手によって自分の生活パターンは変らざるをえないことが往々にしてある。その中で、仕事をしていく場合、組織に勤めるということより、自宅や近所でできる仕事、しかも時間が自由になる仕事をせざるをえない。いえ、その方が主婦の働き方としてはあっているといえるかもしれない。

日本の場合、新卒で企業就職することは容易だが、いったん会社を辞めてしまうと、再就職の道はとざされている。スペシャリストとよばれるほど専門にたけている人、特別な技術をもっている人は別だが、多くの女性にとって企業への再就職の門はないに等しい。

現実問題、子育てが終ってから働こうと思っても、なかなか意にかなう仕事をみつけるのはむずかしい。

セブン－イレブンのレジや茶月の店員をやる気なら仕事はいくらでもあるが、お金のためと割りきって働ける女性がそう多くいるとは思えない。多くの女性にとって、働くという時、それは知的できれいで、夫に恥をかかせない仕事を意味している。その観点からみると、英語を教えるという仕事は、まさに、彼女たちの希望を満足させる仕事なのである。

会社で英語を生かすことができなかった英語の得意な女性たち、語学のスペシャリストまでにはなれなかった女性たち。その彼女たちが、本当に自分たちの特技を生かせる場所を結婚後やっと見つけたような気がする。

また、現在専業主婦の人をみてみると、九人中七人までが再就職の意志があると答えている。

その中の一人はこう言っている。東京在住、二児の母。

「今はまだ子供たちの手が離れませんが、離れたら塾のような形で子供たちに英語を教えてみたいと思ってます。そのためにも、英語をわすれないようにと思って、家にいる時はなるべくFENをきくように努力しているんですよ。英語学校には子供ができるまでは通ってましたけど今はいってません。英語ができて本当によかったと思っています」

再就職の意志ありと答えてくれた人の、ほぼ全員の人が、彼女のように英語を教える仕事を将来の仕事として具体的に考えている。

私は英語という特技は、主婦になってから強味を発揮するんだとどこかで確信めいたものを感じていた。英文科をでて就職しようが国文科をでて就職しようが、法科をでて就職しようが、今の日本企業社会の中では、なかなか専門を生かすところまではいかない。社会のしくみがそうなってないということもあるが。しかし、主婦となり、再び働こうとする時、つまり第二の就職戦線で、英語ができる女性は確かに有利なのではないだろうか。

そのことを証明するために、同大学の国文科、史学科をでた人たちの今と比較してみた。英語科卒の主婦たちが英語という特技を生かして生活パターンにあった仕事をし、また、専業主婦たちも再就職に際して具体的なビジョンをもっているのに対し、国文科、史学科の人たちは、再就職の意志がある人も少ない。

回答してくれた人、十四名。そのうち既婚者十名。結婚していて現在働いている人四名。

内訳は、

会社員　二名

自由業　一名

家庭教師　一名

専業主婦六名。専業主婦の中で再就職を希望している人は、わずか一名。

その女性はこのように語っている。

「今年から子供の手も離れたので、仕事をみつけるつもりです。でも特に特技のない私には、何ができるのか考えあぐねています。語学でもやっておけばよかったと思いますが……これから技術を身につけるのも時間がないし。いい仕事があればいいなあと思ってますがなかなかないようです。どうしたらいいのでしょうか」

私は国文科史学科卒の女性の方が再就職の意志が少ないということは、国文科系にいく人に専業主婦タイプの女性が多いということではなく、英語ができる人よりも単に具体的な職業イメージを浮かべることができないからではないかと思った。国語を教える、学習塾の先生をすることももちろんできるだろうが、英語ほど社会に需要もないし、売りとして弱いような気がする。

上智国文科卒、元銀行員、現在二児の母の女性はこう語っている。彼女は現在、家庭教師のアルバイトをしている。

「結婚後、ずっと家庭教師のアルバイトをしています。大学では国文科でした。大学で学んだことは直接、今の仕事には生きていません。でも大学に行ったことは私自身の精神には大きなプラスです。自分の意識の低さと不勉強から今のような仕事しかできないことがとても残念です。一度の人生ですから、娘には、もっと良い仕事をしてほしいと思っております」

この調査の結果だけで英語ができる女性の方が主婦になってから働く時有利と結論づ

けるのは危険だが、その傾向がみられることは確かであろう。しかし、ここで考えなくてはならないことは英語教室の先生、英語塾の先生などの仕事は、都会だからこそある仕事なのかという点である。地方に住んでいる女性にとってはどうなのだろうか。

英語は主婦になってから第二の職業をはじめる時、武器になる、という私の考えをさらに裏付けるために、地方在住者の多い昭和女子大学の場合をみてみたい。

アンケートに答えてくれた人、英文科、国文科をあわせ五十五名。そのうち東京首都圏に住んでいる人は十二名のみ。およそ八割の人が地方在住者である。

英文科卒の場合をみてみよう。アンケートに答えてくれた人、二十四名。既婚者は二十一名。

既婚者で現在仕事をしている人十名。専業主婦十一名。

働いている人の職業の内訳は、

中高校の教員	二名
高校の非常勤英語講師	一名
外資系企業勤務	一名
英語塾の先生	一名
英語の家庭教師	二名
英語を教えている	一名
回答なし	二名

みごとなくらいに、二名を除いて全員がなんらかの形で英語を教える仕事についていることがわかる。

山口県に在住の英文科卒の女性はこういっている。彼女は、現在、高校で英語の非常勤講師をしている。

「週四日午前中だけの仕事なので、家族に負担をかけることがありません。教える仕事にたずさわれて本当によかったと思ってます」

上智の場合と比べ昭和女子大の方は、専業主婦の数が働いている主婦の数をわずかではあるが上まわっている。しかし、アンケートをよく読むと、現在はまだ子供に手がかかるから働けないが、再就職はしたいという人が十一名中八人もいた。

いずれの人も、上智の場合と同じで、子供に英語を教えたい、塾をやってみたい、と将来の仕事のイメージが具体的である。

このことから英語を教えるという仕事は地域に関係ないことがわかった。

もちろん、主婦のみんながみんな教える仕事を望んでいるわけではない。教えるという仕事しかないという現実も一方であることも確かだ。

新潟県在住の英文科卒の主婦はこう語る。

「東京である企業に就職しましたが退職し帰郷しました。地元の県立高校で四年程、英語の非常勤講師をしてましたが、結婚後は主人と父の仕事を手伝って共働きの現状です。

英語を生かした仕事がもちたく、翻訳の勉強やら手をだしてみましたが、成就せぬまま子育てに入り、今は家業の手伝いに追われています。居住地が田舎のため英語を生かすといっても現状では子供に英語を教えるくらいしか考えられませんが、自分の家庭のこと、子供のこと、と時間の配分等考えると、なかなか実現しません。このまま家業手伝いのみで終りたくないです」

家庭の主婦におさまった女性が再び仕事を考える時、教えるという仕事しかさしあたりないということも事実だ。しかしそれでも、パートでお店に働きにでるよりは、彼女たちの希望を満足させる仕事だと私は思う。

第二の職業をえる際、英語がどれだけ役立っているかみるために、同大学国文科の卒業生と比較してみよう。

アンケートに答えてくれた人、三十一名。そのうち既婚者は二十五名。既婚者のうち現在働いている人は十七名。六八パーセントの主婦が働いていることになる。この数字は今回調査した中では一番高かった。

それでは、彼女たちがどんな仕事についているのか。

十七人の職業の内訳は次のとおりだ。

小中高校の教師　五名
家業の手伝い　四名
自由業　二名

銀行員　一名
学習塾の先生　一名
リライトのバイト　一名
洋裁の先生　一名
パート（職種不明）　二名

昭和女子大学は地方出身者が多い大学だ。

彼女たちは学生時代からいずれ故郷《くに》に帰るという意識の人が多いせいか、故郷の学校の教師になり、結婚、そのまま教師を続けている人が多くみられる。

なお、国文科卒の女性の場合、家業の手伝いをして働いている女性が四人もいることに注目したい。これは地方の長男の家に嫁いでいる人が多いことを示しているのではないだろうか。しかし英文科卒の女性の中には同じ大学であるにもかかわらず一人もいなかった。

私はこの結果をこんな風にみている。英語の好きな女性というのは、考え方もアメリカナイズされているところがある。今回のアンケート調査をみる限りでの話だが、英語を好きな女性は、長男のところに嫁に行き、家業を手伝い家を継ぐという結婚を最初から望まないように思われる。都会的で気楽なライフスタイルを望む女性と、英語のできる女性に共通点があるのではないだろうか。

これは私の独断と偏見だが、そんな気がしてならない。英文科系を卒業した女性は、次男のサラリーマンと結婚し、自分の好きな英語という特技を生かして、結構、要領よく仕事をしているようにみえる。その点、国文科卒の女性は最初から結婚とはどういうことなのかは覚悟しているように感じられる。

例えば、国文科出身で元図書館司書をしていた女性はこのようにいっている。

「私は現在、農家の嫁として子供、両親、祖母の大家族の中で生活しておりますので、大学で学んだ専門を直接生かしているとは思いませんが、困難を乗り切る教養として役立っております。大卒で農業に従事している人は少ないと思いますが、そのような人の活動を知りたいと思います」

英語ができる女性にはないものを私は文面から感じた。英語にひかれる人とひかれない人は単に興味の問題ではなく、もっと深い、本質的なちがいがあるのかもしれない。しかし、英語ができると再就職の時に有利かどうか、という点だけで英語をみるなら、それは英語ができる主婦は得だといわざるをえない。

昭和女子大学国文科卒の女性の専業主婦八名のうち、再就職を希望している主婦は五名。上智大学と比べ昭和の方が仕事への情熱をもっている人が多いことがわかるが、それでは何をしたいかということになると、具体的に浮かばないという点では上智の場合と一致している。

再就職したいが、とりあえずの特技がない、というのが実状ではないだろうか。主婦には適職と思われる教える仕事も、国語や他の教科では、英語を教えるように気楽にできないし、また教える場も限られている。

現在、パートタイムで学習塾の先生をしている昭和女子大学国文科卒の女性はこう語る。

「大学時代、教職の勉強をしました。今の仕事は幼児から小三までの塾の先生です。ある程度、大学で学んだことを生かしていると思います。私は子育てが一段落し、仕事に再びつきたいと思っていろいろ捜しました。やっとの思いで今の職場をみつけたわけです。将来、自分の子供には、結婚しても続けられるような職場が見つかるといいなあと思っています」

ほとんどの女性は大学を受験する際、将来の職業を考えて大学、学部を決めたわけではない。一生キャリアウーマンでやるんだと職業意識をしっかりともっている女性は別だが、ほとんどの人にとって、大学に行くことは、みんなが行くから行き、自分が一番得意な学部に進んだというのが本当のところではないだろうか。

就職する際も、その会社で一生働きたいからというのではなく、あくまでも結婚までの腰かけ。多くの女性にとって、仕事より結婚の方が重要だったはずだ。

ましてや、結婚してから後の再就職のことなど考えて大学を選んだ人などいないはずだ。

軽い気持ちで大学にいった。英語を勉強した。国文学を勉強した。史学をやった。その程度のことだと思う。

再就職の際、英語がこれほど、有利な条件になるとは誰が想像しただろうか。少なくとも、私にとって、英語が主婦になってからこんなにも生かされているというアンケート結果は意外な発見だった。

英語など多少できても海外旅行の時ぐらいしか役にたたない。それなら他の技術、例えば簿記やワープロ、司法書士などの技術を身につけた方が、主婦になってから働くのには有利、と私は心の中で決めつけていたところがあった。教えるという仕事を第二の職業とし、こんなにも多くの女性が、実際に教えて収入を得ているとは予想だにしなかった。

取材を通じ私の英語に対する考え方はだんだん変ってきた。英語なんか一生懸命やる時間があったら弁護士、公認会計士、税理士など確乎たる資格をえられる勉強に投じた方が得だ。英語を完璧にものにするのは難しい。中途半端ならしない方がましだ。

私は取材の中頃まで、確かにそう思っていた。しかし、今の私は少しちがう考え方をもっている。

法律科にすすみ弁護士をめざす。医学部に入り医師になる。公認会計士をめざす。これらは確かに一生の仕事になりうる。結婚して子育てで中断されても、自由に仕事をえることができる。強い資格である。しかし、これらの職業にむいている人はわずかである。絶対的な資格だから誰でもめざした方がいいという類のものではない。いくら役に立つ資格でも、本人が好きでなかったら結局役にたたない。それに、それまでして資格にこだわることもないと思う。

その点、英語は、確乎たる資格にはならないし、資格として認められにくいが、副業として仕事をえることはむずかしくない。

それに英語を好きな女性は多い。多くの女性にとって、司法試験に通ることより英語の先生をめざす方がチャンスもあり、むいているのではないだろうか。だったら、女性が英語をやることは将来女性にとって大変役にたつことになる。英語は完璧でなくてもいい。できないよりできた方がいざという時得だということになる。

英語なんて、そう簡単に教えられないのよ。英語塾の先生になんか、ちょっと英語ができればなれるみたいにいわないで、と憤慨している人がいると思うが、私はそういう意味でいっているのではない。

どんな仕事でもプロとしてやるのは大変なことだ。しかし、主婦の第二の職業として考える時、英語ができると職業をえるチャンスが大きいということは確かな事実である。

後日会った三十五歳、私立高校の非常勤英語教師をしている女性は私にこういっていた。

彼女は三年前に離婚。二人の子供を自分がひきとり育てている。

「離婚できたのも英語ができたから。英語で食べていける、そんな気持ちがあったからかもしれませんね。英語ができると食べていくことには困らないですよ。今、私は三校かけもちで英語の講師の仕事をしています。もし大学で他の専門やっていたら、離婚後、こんなにスンナリと仕事がえられたかはっきりいって疑問です。英文科でてよかったと思ってます」

彼女は現在、自分の収入だけで生計をたてている。もっと収入をえようと思えば、塾の先生、翻訳の仕事などやることができる。ある国語の教師の話によると国語の先生の場合、英語の先生のようにアルバイトの口がそうそうはないということだ。日本は、ここ十数年来、英語学習ブームが続いている。幼稚園児、小学生から英語を習わせる親はふえている。国語の場合は受験国語の先生の口しかないが、英語の場合は教える幅が大変広い。それだけ英語の先生が必要とされているのである。つまり英語ができると職があるということになる。

最近離婚した二十五歳の女性も同じようなことを言っていた。

「もし英語ができないで、ただ一流大学をでて、一流企業に勤めたことのある私だったら、離婚できたかしら」

彼女は現在、フリーで通訳、翻訳の仕事をしている。英語は文字通り、結婚後、生きたことになる。

一九八八年十一月号の「日経ウーマン」の読者のページに、こんな投書がのっていた。三十歳の女性からである。

「私自身の経験から言えるのは、英語を使う仕事が平均的にみて、結局一番稼げるのだということ。私が以前いた会社は残業が多く、本も読めず、映画にも行けずという毎日が続きました。体をこわしてやめて以来、派遣社員をやっています。失業中に何か手に職をつけたほうがいいと自己投資したのが英文タイプでした。今から考えても正しい選択だったと思います。一番簡単に身について戦力となるのがこの技術でしょう。毎月平均百五時間働いて年収約二百万円。それから英文タイプの講師をして月十時間で年収約六十万円です。収入は多くないようですが、労働時間も少ない!——中略——英文タイプの学校には一年も通ってません。それなのに投資の回収率は一〇〇パーセントをはるかに超えています。自分の生活スタイルに合った仕事の技術を身につける。これが私の自己投資の鉄則ですね」（不二子・秘書兼タイピスト・三十歳）

英語は、企業の中で生かそうとしたり、語学のスペシャリストとして使う場合、大変、むずかしいものがある。それはいままでの章でのべてきた。が、組織からはなれ、時間で英語を売る時、英語は効率よい仕事としてよみがえる。

ここ数年来の人材派遣会社の伸びにはめざましいものがある。人材派遣会社のスタッフとして時間で働いている女性は、三十代の女性が主流だ。特に好きな時間だけ働けるという人材派遣という働き方は主婦にむいている。その時、単に事務経験があるというのではなく、英語ができると、時給もちがってくる。英語の能力のレベルにもよるが時給千五百円から二千円とることはむずかしいことではない。

先日、何気なく目にした「サピオ」という雑誌の中に、こんな記事がのっていた。

「主婦労働力は宝の山。バイリンガル主婦のスーパーパワーを引き出せ」と題した、ＮＴＴタウンネット社長の話である。それによると、ＮＴＴでは在日外国人むけに電話で英語情報サービスを行っている。そこで戦力となっているのが、バイリンガル主婦たちであるという。バイリンガル主婦は語学ができて、生活情報を持ち、しかも責任感が強い。そこをみこんでの起用だ。企業は今、彼女たちを貴重な戦力として活用しようとしているのである。

ちなみに、電話相談のオペレーターとして働く主婦たちは、ほとんどが三十代。海外生活を体験し、子供がいないか、成長して手がかからなくなったという点で共通しているということだ。

このように英語のできる主婦の出番はますます多くなる傾向にある。きちんと正社員として雇わず、主婦を契約社員でつかう企業はズルイといえばズルイが。

時代の風は、明らかに英語ができる主婦の方にふいているといっていいだろう。英語ができる主婦は、自らの手で再就職の道をどんどんみつけてきり開いていっている。再就職といっても、くどいようだが企業へ就職という意味ではない。あくまでも副業としての仕事としてである。

副業にしろ、仕事の需要があり、しかも自分の特技を生かせるということは、すばらしいことである。

私は、第二の職業として近所の子供たちに英語を教えたり、自宅で翻訳の仕事をしている主婦たちの姿を思いうかべた。

そして、こんなことを考えていた。

英語はもしかしたら、母の時代の和裁や洋裁にあたるものではないだろうかと。言いかたをかえれば、英語は現代の内職。現代の高学歴主婦たちにマッチしている内職なのではないだろうかと。

内職という言葉が的確でなければ、サイドビジネス、パートタイムという言葉を使ってもいい。

昔の主婦たちは和裁や洋裁の技術を身につけ、生計を助けていた。日本は経済大国になり今の主婦は収入を生活費のあてにされていないかもしれない。しかし、いざという時、英語を教えることにより生計を助けることができるという点では同じだ。

英語は結婚している女性にとって、ひとつの芸ということができはしないだろうか。時代は変った。手に職の種類も変ったが、主婦の働き方はあまり変っていない。その中で、英語は現代の主婦の芸のひとつになっている。

芸は身をたすくという言葉があるが、現代の多くの主婦にとって、その芸とは英語ではないかと私は思う。

私の知人は私にこんな話をしていた。

彼女のところに、小学校五年生の女の子をもつ母親が教育相談にやってきた時の話だ。その母親の相談とは、娘はあまり勉強がとくいではない。だから、何かやらせたいと思うが何をさせたら将来いいだろうか、という相談だった。

その時、私の知人はこう答えたそうだ。

「とりあえず英語だけはやらせた方がいいわよ。ピアノや他の専門はよっぽどの才能がない限り無理。英語だったら、とにかく小さい時からやらせれば、ある程度まではできるようになるわ。特に女の子だったら、英語ができて損することは少ないと思う。英会話スクールでも何でもいいから行かせたらどう。中学、高校は英語に強いミッション系に入れたらいいじゃない」

その母親は彼女のアドバイスに大変満足し、娘に英語だけはやらせようと決心したそうだ。

この話を聞いた時、私はとても説得力がある話だと思った。断っておくが、頭の悪い子には英語をやらせろ、といっているのではない。

英語はいつか主婦になった時、いざという時役に立つ可能性が高いから、何かやるなら英語がいいのではないかといっているだけのことである。

知的できれいで夫に恥をかかせない仕事、主婦業をやりながら無理なくできる仕事。しかもお金になる仕事。現代の主婦の希望にあった仕事。それは、英語を教える仕事ではないだろうか。

英語は現代の主婦の味方である、と私は強く感じる。

英語！　英語！　英語産業は三兆円ビジネスといわれている。英会話学校は都内だけでも一万二千校を下らない。日本人の英語学習熱はさめるところを知らない。

この日本人の英語学習ブーム、企業の国際化ブームが下火にならない限り、英語の仕事は安泰であろう。少なくとも、一九八九年現在においてはそうである。しかし時代は目にみえない速度で変化している。誰も十年、二十年先のことは予測できない。

この先もずっと英語ができれば副業には困らないという日が続くとは断言できない。留学することが簡単な昨今、それにつれ英語のできる女性の数も増えている。

私は取材の中でであったあるバイリンガル主婦がいっていた言葉を今、思いだしている。

「子供ができて、子育てが終ったら近所の子供たちを集めて英語を教えようと思っているんです。でも、その頃になったら、みんなが英語、できるようになってたりして……そうなったらどうしよう。職がなくなるわ」

そんな時代がそこまで来ているのかもしれない。

あとがき

私は中学で英語を習って以来、英語がずっと好きだった。英語ができるようになりたい、というのはその頃からの夢だった。大学こそ英文科に進まなかったが、英会話スクールには通う、留学はする、外人とはつきあうなど、英語とは縁のきれない生活を送ってきた。

それなのに、私の英語力ときたらお粗末そのものなのである。あんなに時間もお金もかけてきたのに、私は今英語と無関係な仕事についている。

私は今まで何のために英語をやってきたのだろう。

この問いが、「英語できます」を書くきっかけになった。

ふと、まわりをみると英語に夢中になっている女性たちの姿が多いことに気がつく。OL留学はもはや単なる流行ではなく、キャリアアップのひとつの方法として定着しようとしている。女性向けの英会話スクールもどんどん新設されている。

彼女たちは、英語を武器に社会進出しようとしているかのように見える。

英語ができるって、一体どんな意味があるのだろうか。英語ができるってそんなに価値あることなのだろうか。最近は高校生でもホームステイに外国へでかけていく時代である。英語のできる人たちは確実に増えている。

そんな中で、英語は、これからも女性が社会進出する上で切り札になりうるのだろうか。

そんな疑問をいだきながら、私は取材を進めたわけである。

正直いって、とりくんだテーマが英語という、非常に奥深く広い題材だっただけに、どこから手をつけたらいいのか大変悩んだ。結局、一回では書ききれないという結論に達し、今回は、英語ができる女性たちの職業に焦点をあてて書いてみた。

英語に興味をもっている女性だけでなく、これから子供に英語を習わせたいと思っている親御さんたちにも是非読んでいただけたら幸いだ。

最後に取材に協力して下さったみなさま、アンケートに回答して下さったみなさまに心からお礼を申しあげます。本当にありがとうございました。

一九八九年夏

松原惇子

文春文庫

「英語できます」

定価はカバーに
表示してあります

1993年4月10日　第1刷

著　者　松原惇子
発行者　新井　信
発行所　株式会社　文藝春秋
東京都千代田区紀尾井町3—23　〒102
TEL　03・3265・1211
落丁、乱丁本は、お手数ですが小社営業部宛お送り下さい。送料小社負担でお取替致します。

印刷・凸版印刷　製本・加藤製本

Printed in Japan
ISBN4-16-711704-5